KANDINSKY

FRANÇOIS LE TARGAT

KANDINSKY

ÉDITIONS ALBIN MICHEL
PARIS

Édition espagnole:

Édition française:

22, rue Huyghens, 75014 Paris

I.S.B.N.: 2-226-02830-7
N° d'édition: 9472
Dépôt Légal: B. 30.034 - 1986 (Printed in Spain)

Imprimé en Espagne par La Polígrafa, S. A.
Parets del Vallès (Barcelone)

SOMMAIRE

Introduction

Lorsqu'on regarde une photographie de Wassily Kandinsky on a du mal à s'imaginer qu'il s'agit d'un peintre, tant sont ancrées en nous les idées reçues de bohème et de rapin dans un folklore misérabiliste. On pense davantage, même s'il tient un pinceau à la main, à un magistrat, à un professeur de philosophie, à un docteur en médecine. Et pourtant il s'agit bien d'un artiste comme le prouve son œuvre, mais d'un artiste un peu particulier qui disait lui-même: «C'est une preuve de mauvais goût de la part d'un peintre, de supporter la saleté dans son atelier. Moi, je peux peindre en smoking.» Déroutant Kandinsky, l'un des principaux créateurs de l'art moderne, quand on pense que c'était les "peintres académiques" dits "pompiers" qui peignaient en redingote!

Magistrat, il aurait pu l'être, ayant fait des études de droit; philosophe, il l'était puisque, tout en faisant sa première aquarelle abstraite il écrivit *De la spiritualité dans l'art*. Médecin, il ne le fut pas, mais il analysa la création artistique avec la même précision qu'un chirurgien maniant le bistouri. Ainsi Kandinsky occupe-t-il une place particulière dans le monde de la création de la première moitié du siècle.

Artiste, incontestablement, mais aussi chercheur, théoricien, professeur. Connu de l'intelligentzia européenne, ce Russe devenu allemand puis français était ignoré du grand public à sa mort en 1944. Et il faut dès maintenant rendre hommage à la mémoire de sa femme, Nina Kandinsky, sauvagement assassinée il y a quelques années, en 1980, pour le dévouement qu'elle mit à faire connaître cette œuvre majeure de notre temps dont l'influence, peut-être pas immédiatement discernable, est capitale dans la démarche de la pensée de notre siècle et restera une des clés de voûte de la création artistique.

Les années russes, les voyages, Munich

Selon le calendrier grégorien, c'est le 4 décembre 1866 que naît à Moscou Wassily Kandinsky. Selon le calendrier russe, c'est le 22 novembre. Il est d'une famille aisée, très aisée même, et ce ne sera qu'à cause d'événements politiques et historiques qu'il connaîtra de graves difficultés financières, par ailleurs passagères. Ses parents étaient séparés; il est élevé par sa tante et à dix ans entre au lycée d'Odessa où la famille s'était fixée quelques années après sa naissance. À vingt ans il se lance dans des études de sciences économiques, de droit russe et romain. Enfant, il fut initié à la peinture, à la musique, étudia le piano et le violoncelle, ce qui faisait partie de l'éducation traditionnelle de la bourgeoisie européenne. Mais ce n'est qu'à trente ans, après deux voyages à Paris, des publications d'ordre juridique et ethnologique, son mariage avec sa cousine Ania Tchimiakin, qu'il refuse un poste de professeur d'université pour s'installer à Munich et se consacrer à la peinture. Vocation tardive, dira-t-on, mais vocation inébranlable puisqu'à trente et un ans il est élève dans l'école d'art d'Anton Azbé, puis à l'Académie de Munich dans la classe de Franz von Stuck. Mais il ne se contente pas de suivre des cours. Kandinsky a en lui cette vocation d'organisateur de groupes, d'écoles, de mouvements.

En 1901 il entraîne d'autres artistes dans l'association Phalanx, qui a pour but d'organiser des expositions et il fonde une école d'art. Le professeur qui sommeillait en lui trouve sa voie sans pour autant que l'artiste ait à en pâtir. L'école ne durera pas longtemps: en 1904 a lieu la dissolution du groupe Phalanx, mais entre-temps Kandinsky a rencontré une femme, Gabriele Münter, qui aura plus d'importance dans sa vie que son épouse légitime dont il se séparera à l'amiable, mais moins que sa seconde épouse Nina von Andreesky avec laquelle il vivra près de trente ans, sans, dit-elle, qu'ils se soient quittés un seul jour!

Russe, Kandinsky l'était de famille et de naissance avec des ascendances mongoles. Il n'est que de regarder un portrait de lui pour discerner dans le regard légèrement bridé et dans les pommettes hautes et saillantes cet air asiatique. De culture, il était également allemand et chez lui la rigueur germanique l'emporte sur l'exubérance slave.

Sa grand-mère maternelle, d'origine balte, parle allemand et lui apprend cette langue: «J'ai grandi, à demi-allemand: ma première langue, mes premiers livres étaient allemands», écrit-il le 16 novembre 1904 à Gabriele Münter, après avoir déclaré qu'il est «russe et pourtant non-russe». Cette double culture ne doit jamais être perdue de vue lorsqu'on s'intéresse à son œuvre.

De même, les lieux où il vécut soit par choix personnel comme Munich, soit par nécessité professionnelle, changement de lieu du Bauhaus ou raisons politiques (établissement à Paris pour fuir le nazisme) marquent des périodes de sa création.

Tout d'abord la Russie de sa jeunesse. Si, sur le plan littéraire et musical, la Russie des tsars était florissante, les arts plastiques en revanche étaient sans grand intérêt jusqu'à ce que Diaghilev, qui ne s'occupait pas encore des Ballets Russes, crée en 1898 la revue *Mir Iskusstva* qui regroupe des novateurs, dont Bakst qui deviendra le décorateur attitré des Ballets. Jusque-là, la peinture russe n'avait ni racines ni tradition, contrairement à la littérature (Tolstoï, Dostoïevski, Pouchkine, Gogol, etc...) et à la musique (Borodine, Moussorgski, Rimski-Korsakov, etc...). Et cela pour une raison très simple: depuis le XVe siècle les architectes étaient italiens, allemands ou français, et la Cour commandait en matière de peinture des œuvres occidentales et notamment françaises, d'où les fabuleuses collections actuelles des musées, provenant des achats faits par les tsars et tout particulièrement par Catherine II, la toute-puissante impératrice. Mais au moment où Diaghilev lance un art nouveau — qui puise dans la tradition folklorique —, Kandinsky avait déjà quitté Moscou dont il gardera toujours un souvenir émerveillé: «Moscou, la Mère à la tête dorée», dont il disait: «Chaque ville a un visage, Moscou en a dix.»

Le fait d'avoir quitté Moscou pour Munich ne veut pas dire que Kandinsky n'était pas au courant des recherches d'un Somov ou des tendances Biedermeier.

De son enfance à Moscou et à Odessa, Kandinsky ne devait garder que de bons souvenirs. En ce qui le concerne, l'analyse freudienne est parfaitement inutile. Bien que ses parents se soient séparés alors qu'il était très jeune, ses rapports avec eux n'en furent en rien modifiés: il entretint avec son père d'affectueuses relations et resta très lié à sa mère.

Ce fut sa tante Elisabeth Tikheeva qui s'occupa de lui et là un détail amusant de ses souvenirs d'enfance devait prendre une certaine place dans sa vie: un jouet, un petit cheval blanc tacheté d'ocre jaune. Un jour, à Munich, il vit dans la rue un vrai cheval qui ressemblait exactement à ce jouet. Il écrivit en 1913: «Ce fut une de mes premières impressions [...] — et ce fut aussi la plus forte [...] Il faisait revivre en moi le petit cheval de plomb et rattachait Munich à mes années d'enfance», «l'amour de cette sorte de chevaux ne m'a toujours pas quitté aujourd'hui». Rien d'étonnant que dans ses premières œuvres abondent chevaux et cavaliers et que lorsqu'il créa en 1911 avec Franz Marc une revue il l'appela *Le cavalier bleu.* Ses premières œuvres sont d'ailleurs pleines de réminiscences de son enfance. Parlant d'une toile de 1902, *Vieille ville*, il raconte: «Dans ce tableau encore, j'étais à vrai dire en quête d'une certaine heure, qui était et qui reste toujours la plus belle heure du jour à Moscou. Le soleil est déjà bas [...] encore quelques minutes et la lumière du soleil deviendra rougeâtre d'effort [...] Le soleil fond tout Moscou en une tache qui, comme un tuba forcené, fait entrer en vibration tout l'être intérieur, l'âme tout entière. Non, ce n'est pas l'heure du rouge uniforme qui est la plus belle! Ce n'est que l'accord final de la symphonie qui porte chaque couleur au paroxysme de la vie, et triomphe de Moscou tout entière en la faisant résonner comme le fortissimo final d'un orchestre géant. Le rose, le lilas, le jaune, le blanc, le bleu, le vert pistache, le rouge flamboyant des moissons, des églises — avec chacune sa mélodie propre —, le gazon d'un vert forcené, les arbres au bourdon plus grave [...] l'anneau rouge, rigide et silencieux du mur du Kremlin, et par-dessus, dominant tout, comme un cri de triomphe, comme un Alleluia oublieux de lui-même, le long trait blanc, gracieusement sévère, du clocher d'Ivan-Veliky. Et sur son cou long, tendu, étiré [...] la tête d'or de la coupole, qui, parmi les étoiles dorées et bariolées des autres coupoles, est le soleil de Moscou. Rendre cette heure me semblait le plus grand, le plus impossible des bonheurs pour un artiste.»

Lorsqu'on voit le tableau de 1902, encore que de très belle facture, il n'a rien apparement de révolutionnaire: une tendance à la simplification des formes qui annoncerait un pré-cubisme cézannien, et encore! Mais l'intérêt de cette citation, reproduite par Will Grohmann dans son livre consacré à Kandinsky, est qu'elle donne déjà la clé de la réflexion, de la sensibilité et de la recherche de l'artiste. Kandinsky connaîtra d'autres révélations: la peur du noir, la crainte d'employer cette couleur, qui lui viendrait de sa tendre enfance. Souvenir d'un fiacre noir à Florence, des eaux noires de Venise et du noir des gondoles alors qu'il a trois ans et voyage en Italie avec ses parents. Une tentative malheureuse de peindre les sabots noirs d'un cheval que lui fait dessiner sa tante achèvera d'accentuer cette peur. Car il est l'homme de la couleur. Adolescent, il s'achète une boîte de peinture. Plus tard, il écrira son émerveillement à la vue des couleurs sortant des tubes: «jubilants, fastueux, réfléchis, rêveurs, absorbés en eux-mêmes, avec un profond sérieux, une pétillante espièglerie, avec le soupir de la délivrance, la profonde sonorité du deuil, une force, une résistance mutines, une douceur et une abnégation dans la capitulation, une domination de soi opiniâtre, une telle sensibilité dans leur équilibre instable, ces êtres étranges que l'on nomme couleurs venaient l'un après l'autre, vivants en soi et pour soi, autonomes, et dotés des qualités nécessaires à leur future vie autonome, et, à chaque instant, prêts à se mêler entre elles et à de nouvelles combinaisons, à se mêler les uns aux autres et à créer une infinité de mondes nouveaux [...] Il me semblait parfois que le pinceau qui avec une volonté inflexible arrache de cet être vivant des couleurs, faisait naître à chaque arrachement une tonalité musicale.» Quel peintre a jamais aussi bien parlé de la couleur! Certes Kandinsky écrit ces lignes des années après l'achat de ces tubes de peinture, mais rien ne permet de croire qu'il enjolive. Ce sont bien ses impressions premières.

Tout en poursuivant ses études, il peint, mais en dilettante. Ayant une très haute opinion de l'art, il ne se sent pas encore prêt à l'affronter. Il peint surtout des intérieurs d'églises, écrit-il dans *Regards sur le passé* en 1918. Il n'a pas encore rencontré un peintre ni une œuvre qui l'aient fasciné. Le peintre sera Rembrandt, découvert à l'Ermitage en 1889, l'œuvre sera la *Meule de foin* de Monet lors d'une visite à l'exposition des Impressionnistes français à Moscou en 1895.

Pour l'heure, la Société des sciences naturelles, d'ethnographie et d'anthropologie l'envoie dans le gouvernement de Vologda pour une mission d'étude. Il découvre alors l'art populaire. Peu à peu, sa vocation se précise. Kandinsky ne fait rien à la légère, il passe ses examens de droit, est nommé chargé de cours à la Faculté, mais refuse une chaire à l'université de Dorpat, préférant diriger une imprimerie d'art.

Les deux voyages qu'il fait à Paris en 1889 et 1892 ne semblent pas avoir été importants pour sa vocation d'artiste. En revanche, sa décision est maintenant prise: il quitte Moscou, s'installe avec sa femme Ania Tchimiakin, bien décidé «à peindre tous les jours», comme l'avait professé Gauguin délaissant les milieux bancaires.

Il pourrait paraître surprenant que Kandinsky ait choisi Munich pour se consacrer à la peinture. On aurait tendance à croire que c'est Paris qui s'imposait, comme ce fut le cas à partir des années 20. Mais nous ne sommes qu'à la fin du XIXe siècle et la situation politique de l'Europe n'est en rien comparable à celle d'après la guerre de 1914-1918. L'École de Paris — composée presque exclusivement d'étrangers, dont bon nombre de réfugiés — ne verra le jour qu'après les événements qui démantelèrent l'Europe centrale. Pour l'heure, l'Empire austro-hongrois paraît indestructible tout autant que la Sainte Russie, et l'Empire allemand, encore que très marqué par le régionalisme, fait figure de forteresse.

Sur le plan artistique, autour des années 1900 on parlera de Vienne avec la Secession, de Munich avec le Jugendstil. En France, les impressionnistes ne sont pas encore pris au sérieux, l'académisme règne en maître, le scandale n'arrivera qu'avec le fauvisme, et l'État refuse la donation Toulouse-Lautrec, à une œuvre près, et le legs Caillebotte soulève des problèmes auxquels la politique n'est pas étrangère. De plus, qu'on le veuille ou non, l'art germanique n'a pas grande audience et l'expressionnisme heurte le sens esthétique des Latins. Rien d'étonnant donc à ce que Kandinsky, quittant la Russie où il ne se passe rien dans le domaine des arts plastiques, ait choisi Munich, ville particulière qui garde encore comme un souvenir des folies de Louis II, la Bavière ayant toujours été un État sensible à l'art: il n'est que de voir aujourd'hui encore l'architecture de la ville ancienne. Malgré cela, la situation, lorsque Kandinsky y arrive, n'est pas très brillante. Les impressionnistes français sont inconnus, les impressionnistes allemands n'ont aucun succès, mais dans l'esprit post-Barbizon les paysagistes d'une sécession munichoise laissent apparaître une possibilité de renouveau.

Munich devint donc le centre de ce mouvement Jugendstil qui avait pris naissance d'une part en Angleterre, d'autre part en Belgique. À l'origine, c'est un mouvement lié à l'architecture, mais très vite il s'étendra au domaine de l'illustration, du livre, puis de la sculpture et de la peinture. Son influence sur la peinture dans la dernière décennie du siècle est importante et les nombreuses revues (trop souvent éphémères), par leurs informations, entraînent des échanges entre artistes des différents pays. Kandinsky, organisateur né, n'est pas le dernier à s'intéresser à ces courants nouveaux et l'affiche qu'il fait pour la première exposition du groupe Phalanx qu'il a fondé en 1901 est tout à fait dans l'esprit du Jugendstil. Malheureusement le succès ne vient pas et, en 1904, Kandinsky dissout le groupe, le public ayant boudé des expositions trop "avant-gardistes" à ses yeux. Ces peintres qui n'intéressaient personne avaient pour noms Signac, Van Rysselberghe, Luce, Vallotton, Pissarro.

Il est curieux de remarquer que, quelle que soit leur tendance à un modernisme d'avant-garde, les artistes travaillent dans l'esprit du temps. Kandinsky n'échappe pas à la règle. On a parlé de son époque moyenâgeuse toute empreinte de légendes d'Outre-Rhin, *L'adieu*, par exemple, de 1903, mais n'était-ce pas le temps où le "gothique", revu et corrigé, faisait florès? De même plus tard, lorsqu'on regarde des toiles comme *Chant de la Volga*, on est surpris par un réalisme folklorique russe. C'est en 1906, mais n'est-ce pas à ce moment-là que Diaghilev commence à imposer ses ballets qui feront tant de bruit dans l'histoire culturelle et qui ne sont jamais que du folklore russe quelque peu élaboré?

Dans l'école qu'il avait fondée à la Phalanx, Kandinsky enseignait déjà et ses qualités pédagogiques étaient unanimement reconnues par ses élèves. C'est dans cette classe qu'il devait avoir pour élève Gabriele Münter qui deviendra sa compagne, mais aussi une certaine madame Strakosch-Giesler qui, théosophe puis anthroposophe, l'entraîna quelque temps dans le sillage de Rudolph Steiner, le grand prêtre de cette philosophie, doctrine qui existe encore de nos jours. Curieux de tout, Kandinsky écouta des causeries de Steiner et s'intéressa même à l'occultisme. Des théories de Steiner, il devait rester quelque chose dans la démarche du peintre, notamment en ce qui concerne la psychologie des couleurs.

Kandinsky adorait les voyages et en fit beaucoup, notamment pendant les années munichoises. Qu'il retourne en Russie, qu'il visite l'Italie, la Suisse, l'Allemagne, rien d'étonnant. Un voyage cependant est à signaler: de Noël 1904 à avril 1905, il est en Tunisie. Or Klee, qui sera un grand ami de Kandinsky, fit lui aussi un voyage en Tunisie. Alors que l'orientalisme sévit encore dans ce qu'il a de plus décadent —ce n'est plus le temps de Delacroix ou de Fromentin—, rien d'anecdotique dans les tableaux du Kandinsky de l'année 1905. En revanche, un sens étonnant de la lumière dont il capte la réverbération sur les murs blancs des édifices, sur le sable jaune du sol. Les personnages sont à peine esquissés, mais les formes géométriques tendent déjà vers une certaine abstraction.

À travers les œuvres qu'il rapporte de ses voyages, on se rend compte de la sensibilité avec laquelle il sait traduire un climat. Ainsi lorsqu'en 1906 il s'installe pour un an à Sèvres, le parc de Saint-Cloud est son lieu de prédilection pour travailler. Les sous-bois assez sombres et sévères qu'il peint n'ont rien de commun avec les œuvres faites à Rapallo par exemple, lors de son voyage en Italie. Certes la facture reste assez dramatique, à l'allemande, ce n'est pas une peinture aimable comme celle des peintres mondains français où l'anecdote est toujours présente, le sujet pour eux comptant plus que l'étude de la nature. Cela pour dire que Kandinsky, pourtant grand théoricien de l'art, n'applique pas systématiquement alors ses théories. Il est nouveau devant chaque lieu différent.

Très méticuleux, il tenait à jour le registre de son travail et c'est ainsi que nous connaissons sa participation, dans les premières années du siècle, à de nombreuses expositions, en Russie, en Allemagne, en Pologne, en Italie et à Paris. Si, lorsqu'il s'installe définitivement à Paris en 1933, il est, peut-on dire, inconnu en France, au début du siècle il expose au Salon d'automne, reçoit une médaille de la Ville de Paris, devient membre du jury de ce Salon dont il reçoit le Grand Prix en 1906.

Pour l'heure, il est un peintre comme les autres, qui certes connaît un succès non négligeable. Il n'entrera dans l'histoire de l'art qu'à l'âge de quarante-deux ans. Jusque-là son œuvre n'a pas de caractère particulier en ce sens que rien ne laisse deviner ce que sera le

Kandinsky de la seconde moitié de sa vie. Homme de réflexion, il a pris son temps pour étudier les maîtres anciens à la pinacothèque de Munich notamment, pour faire des recherches de matières, pour s'adonner à toutes les formes d'expression: études à l'huile, tempera — technique qu'il maîtrise parfaitement —, «dessins colorés», c'est lui-même qui les nomme ainsi, bois gravés, et son œuvre graphique est alors déjà considérable.

Cependant, son style n'est pas encore défini — d'une part des œuvres que l'on peut qualifier de "russes", d'autre part une nette influence de l'Europe de l'Ouest. C'est encore son époque "romantique" par les thèmes choisis qui vont d'une tendance moyenâgeuse au folklore en passant, quant aux costumes des personnages, par le genre rococo ou le style Biedermeier. Bien que, dans les années 1904, il ne connaisse pas les Nabis, on remarque dans les tons qu'il emploie une certaine analogie avec ceux employés par cette nouvelle école. Comme quoi il reste toujours dans le monde de la création, un domaine qu'il n'est pas possible de déterminer logiquement et il ne faut pas prendre à la légère la phrase: "lorsqu'une idée est dans l'air". Les arcanes de l'inconscient comptent beaucoup dans la création artistique, il y a des coïncidences fortuites.

Lorsque l'on considère cette première période de la vie de Kandinsky on a l'impression, malgré son âge (rappelons qu'il ne se consacra à la peinture qu'à trente ans), qu'il cherche sa voie. C'est pour lui un grave problème et son séjour à Sèvres ne lui fut pas bénéfique, puisqu'il échappa de justesse à une grave dépression nerveuse. De retour à Munich, il dut même faire une cure de repos à la campagne, à Reichenhall. Évoquant cette époque, il parlera du «dilettantisme des années d'enfance et de jeunesse, traversées d'émotions confuses et surtout torturantes, avec une nostalgie qui [lui] demeure incompréhensible» et aussi «du temps après la période scolaire où [s]es émotions prirent insensiblement une forme plus définie et plus claire pour [lui]-même».

Cela dit, une idée le préoccupait depuis ses années de jeunesse à Moscou, il en avait fait part à Gabriele Münter qui fut son élève et sa compagne. Cette idée c'était «la peinture sans objet». Et cette idée allait mûrir pendant des années pour aboutir à la première aquarelle abstraite en 1910.

Les années Murnau et le "Blaue Reiter"

En 1907, après son séjour à Sèvres, Kandinsky revient à Munich. À ses préoccupations d'artiste s'ajoutent des soucis personnels: complications dues à son mariage raté avec sa cousine, à sa liaison avec Gabriele Münter. Remis de sa dépression, il voyage en Suisse, à Berlin, dans le Tyrol et à Murnau, village de Haute-Bavière proche de Munich. Enfin il s'installe à Munich avec Gabriele Münter, loue un appartement voisin de celui de Paul Klee qu'il ne connaît pas encore et grâce à sa méticulosité — il gardait tous ses papiers en ordre — on sait que le loyer était élevé pour ces quatre pièces de l'Ainmillerstrasse et qu'il dessina les meubles de ce nouvel appartement. Ces détails ne sont pas sans intérêt: d'une part la situation financière du peintre était confortable grâce à l'argent de sa famille (la Révolution russe était encore bien loin qui allait ruiner la bourgeoisie); d'autre part, ce souci de créer un mobilier annonce déjà, sinon le Bauhaus, du moins cette recherche d'harmonie entre toutes les formes de l'art qui précisément sera la raison d'être du Bauhaus, sous la République de Weimar, le Bauhaus, cette "école", si l'on peut dire, où Kandinsky enseignera.

Pour l'heure, il n'en est pas encore à la peinture "sans objet", bien au contraire, puisqu'avec Gabriele Münter il peint dans cette région des Alpes bavaroises où d'ailleurs il achète une maison à Murnau, que Gabriele continuera d'habiter après leur séparation. On pourrait penser que dans un lieu aussi retiré, c'est la solitude d'un couple. Absolument pas. Des peintres comme Jawlensky, Verkade ou des danseurs comme Sakharoff font partie de ce groupe amical.

Jawlensky avait travaillé en France, connu personnellement Matisse, exposé au Salon d'automne; Verkade avait quant à lui connu Gauguin et, par Sérusier, les Nabis. Ce n'est pas pour autant que la forte personnalité de Kandinsky en fut ébranlée et malgré leurs échanges d'idées, jamais il ne sacrifia à l'école de Pont-Aven, au symbolisme sobre de Gauguin, à l'école du synthétisme qui était alors en France le *nec plus ultra* de l'avant-gardisme. À cause des couleurs pures qu'emploie Kandinsky, on a vite, trop vite taxé de fauvisme les œuvres de l'époque Murnau. On a aussi, à tort, rapproché ces travaux de ceux du groupe *Die Brücke* (Le pont) formé à Dresde en 1905. Il n'en est rien, pour des raisons que l'on pourrait qualifier de géographiques. Sans vouloir faire du régionalisme dans l'histoire de l'art, il est bien évident que les lieux ont leur entité propre. De même que le symbolisme a besoin des brumes du nord, le fauvisme a besoin des fortes colorations du sud, des bords de la Méditerranée où il s'est particulièrement illustré, de Collioure à Saint-Tropez et les peintres de *Die Brücke* restent sensibles à la région de Dresde. Or Murnau, dans les Alpes bavaroises, a un autre climat, une autre lumière, une autre personnalité. Will Grohmann emploie le mot «champêtre» pour qualifier cette période. Encore faut-il s'entendre sur la définition du mot. Il peut paraître péjoratif, faire allusion aux petits maîtres fin de siècle, à une représentation mièvre de scènes de genre. Kandinsky se réfère davantage au folklore dans ce qu'il a de plus noble, c'est-à-dire tout simplement qu'il peint ce qu'il voit, gens et paysages.

Une autre dimension cependant à noter: on sait que «les sons et les couleurs se répondent». Or dans cette période de Murnau, on se rend compte que la prédiction de Gauguin, «La peinture pénètre réellement dans une phase musicale», se réalise. Nous n'en sommes pas encore à la peinture sans objet, mais les formes se dématérialisent, les couleurs sont posées comme des notes, il y a dans ces paysages comme un frémissement, donc une musicalité. Kandinsky combat un certain statisme par la technique des coups de pinceau parallèles, il cherche une nouvelle forme d'expression. Si Picasso, homme d'instinct, a dit «Je ne cherche pas, je trouve», Kandinsky, homme de réflexion, aura passé une grande partie de sa vie de peintre à chercher. Un jour, il trouvera, et ce sera, non pas un autre Kandinsky, mais l'aboutissement heureux de cette longue réflexion. Pour l'heure, c'est une période à la fois nouvelle mais aussi pleine de réminiscences dont ce peintre ne se débarrassera pas facilement puisqu'entre 1910 et 1913 on a une production diversifiée pour ne pas dire incohérente, en ce sens que simultanément sont exécutées des œuvres contradictoires. Dès 1909 apparaissent les premières tentatives de *Compositions*, qui pour le moment sont encore des figurations simplifiées. Cette marche de Kandinsky vers la peinture sans objet est liée aussi à des événements extérieurs dans les années 1909.

On sait le goût et les capacités de Kandinsky pour organiser des groupes, des écoles. On a parlé de Phalanx, dont l'existence fut certes éphémère mais importante. En 1909 le groupe des amis décida la création d'une association afin d'organiser des expositions. C'était en quelque sorte une résurrection de Phalanx, mais sous le nom de *Neue Künstlervereinigung München*; Kandinsky en prit la direction. Le but de cette association était par le moyen d'expositions de faire connaître un art nouveau.

A côté de Jawlensky, tous les amis de Kandinsky: Schlittgen, Marianne von Werefkin, Adolf Erbslöh, Alexander Kanoldt, Alfred Kubin et bien entendu Gabriele Münter. Vinrent se joindre à ce groupe des néo-impressionnistes comme Paul Baum et Karl Hofer, des Russes: Vladimir Bekhtiéïev, Kogan et le danseur Sakharoff. Des Français enfin, Pierre Girieud et Le Fauconnier. Cette association n'avait pas en effet un esprit "de chapelle", ce n'était pas la réunion de peintres ayant les mêmes idées, mais d'artistes ouverts à toute manifestation d'art contemporain. C'est ainsi qu'à la deuxième exposition qu'elle organisa furent conviés Braque, Picasso, Derain, Vlaminck, Rouault, Van Dongen. Et c'est lors de cette exposition que Franz Marc, impressionné, entra dans l'association. Ainsi se rencontrèrent les deux hommes qui quelques années plus tard allaient fonder le *Blaue Reiter*.

On a peut-être du mal aujourd'hui, après toutes les révolutions artistiques qui se sont succédé en trois quarts de siècle, à imaginer le scandale que causaient alors, et surtout dans des villes aussi conservatrices que Munich, des associations et des expositions de ce genre. On a tendance à sourire lorsque la petite histoire nous narre des anecdotes de l'époque. Et pourtant à Paris, lors du vernissage d'un salon, un membre de l'Institut empêcha le président de la République de pénétrer dans la salle des impressionnistes en s'écriant: «N'entrez pas, monsieur le président, ici commence le déshonneur de l'art français!» Ce peintre académique ne plaisantait pas plus que le critique Louis Vauxcelles traitant de «cage aux fauves» la salle consacrée à ceux qui, à la suite de cela, allaient être connus sous ce nom de Fauves!

Or Kandinsky, lui-même chroniqueur pour la revue russe *Apollo*, se plaint amèrement de cet état d'esprit. C'est lui qui reproche aux Munichois de préférer les insipides peintres allemands qu'ils tiennent en haute estime à des artistes comme Gauguin, Matisse, Van Gogh ou Cézanne, pour ne parler que des Français. Les mêmes causes produisent toujours les mêmes effets. À Munich comme ailleurs, ces expositions d'art contemporain sont accueillies avec les mêmes rires, les mêmes insultes et les organisateurs traités de déments, de bluffeurs, de profiteurs. Franz Marc enrage et déjà pense à créer une revue de défense de cet art qu'il encourage aux côtés de Kandinsky. Il en a déjà le titre: *Les feuilles bleues*, en allemand *Blaue Blätter*. Ces feuilles verront le jour, plus tard, mais sous le nom de *Blaue Reiter*, le fameux *Cavalier bleu* dont Kandinsky a peint deux toiles. L'une d'elles est aujourd'hui perdue.

Les rapports entre les membres de l'association n'étaient ni simples, ni idylliques. Très vite deux groupes se formèrent et cela devait aboutir à une scission. Il est bien évident qu'une personnalité comme celle de Kandinsky ne pouvait que gêner les médiocres, encore qu'il fît preuve à leur égard d'une grande patience. Kandinsky donna sa démission de directeur, et lorsque le jury de la troisième exposition refusa sa toile *Composition D* sous le fallacieux prétexte qu'elle n'avait pas le format réglementaire, il quitta le groupe, suivi par Franz Marc, Kubin et Gabriele Münter. Nous sommes en décembre 1911. L'association tombera dans l'oubli l'année suivante.

Si 1910 restera dans l'histoire comme l'année de la première aquarelle abstraite, 1912 sera une date clé: c'est l'année de la parution de l'*Almanach du Blaue Reiter* et aussi d'un ouvrage, fondamental, de Kandinsky, *Du spirituel dans l'art*, qu'il avait écrit deux ans auparavant. Kandinsky traverse alors des années difficiles. Il voit un public d'acheteurs se détacher de lui et surtout il devient la bête noire de la critique qui le traite en termes si grossiers que l'intelligentzia allemande prendra sa défense, ainsi que des étrangers comme Fernand Léger, Robert Delaunay, Gleizes et surtout Guillaume Apollinaire qui écrivit en mars 1913: «J'ai souvent parlé des œuvres de Kandinsky, à l'occasion de ses expositions à Paris. Je profite bien volontiers de la circonstance pour exprimer toute ma haute estime envers un artiste dont l'art me paraît aussi sérieux qu'important.» La critique allemande pour sa part traitait cette œuvre d'«idiotie»!

En revanche, il aura toujours l'appui de ses amis et collaborateurs: Franz Marc tout d'abord, et Paul Klee qui ont laissé des témoignages enthousiastes sur ce personnage assez hors du commun. Klee écrit: «C'est quelqu'un et il a une tête exceptionnellement belle et claire [...] La rigueur de l'esprit prend, chez lui, des formes productives [...] Les musées ne l'éclairent pas, c'est lui qui les éclaire, et là, les plus grands ne peuvent lui disputer et amoindrir la valeur de son univers spirituel.»

Et Franz Marc, en 1913, dans *Der Sturm*, importante revue allemande: «Quand je me le représente par la pensée, je le vois toujours dans une large rue où se pressent des silhouettes grimaçantes et criantes; et dans cette foule, un homme sage circule paisiblement: c'est lui. En revanche, les tableaux de Kandinsky, je les vois, dans mon imagination, tout à fait à l'écart de la rue, plongeant dans l'étendue bleue du ciel [...] bientôt ils se déroberont dans l'obscurité du silence des âges pour revenir, rayonnants comme des comètes [...] Et j'éprouve autre chose encore quand je songe aux tableaux de Kandinsky: une indicible reconnaissance de ce qu'il se trouve de nouveau un homme capable de transporter les montagnes. Et avec quelle dignité dans le geste il l'a fait.» Même Macke, qui cependant mettait Matisse et Picasso au-dessus de Kandinsky, écrivit après la première exposition du *Blaue Reiter*: «Kandinsky est incontestablement un très grand artiste.» Bien que l'abstrait ne corresponde pas au tempérament rhénan de Macke, il reconnaît que Kandinsky est «aussi un romantique, un rêveur, un visionnaire et un conteur [...] il est tout chargé d'une vie illimitée».

Dans les milieux artistiques allemands, les luttes étaient rudes. Chaque groupe ou groupuscule s'attaquait fortement à un autre. L'art à proprement parler était-il la seule cause de ces divergences? Si l'on en croit Franz Marc, le sentiment de nationalisme ne serait pas étranger à ces affrontements: «Un vent violent répand aujourd'hui sur l'Europe entière les germes d'un art nouveau [...] l'irritation de quelques artistes de l'École allemande vient justement de ce que le vent souffle de l'ouest [...] Ils ne prisent pas davantage le vent d'est parce que, de Russie, il apporte les mêmes semences nouvelles [...] Le vent souffle où il veut.»

L'*Almanach du Blaue Reiter* n'est pas un manifeste à proprement parler. Franz Marc en donne la définition: «Nous allons fonder un almanach qui doit devenir l'organe de toutes les idées valables de notre époque. Peinture, musique, scène, etc... Il s'agira avant tout d'expliquer bien des choses à l'aide de documents comparatifs [...] Nous en attendons tant de profit salutaire et suggestif, directement utile aussi à notre propre travail, pour l'éclaircissement des idées, que cet almanach est devenu tout notre rêve.» Lorsqu'on voit rétrospectivement cet almanach, il y avait bien de quoi rêver! Il traitait d'art contemporain, de musique, de théâtre. Les illustrations allaient de l'art primitif à Cézanne, Rousseau et Delaunay en passant par l'art oriental, celui du Moyen Âge et même l'art populaire et les dessins d'enfants. Tous les noms importants de la peinture étaient présents et la musique était représentée par Schönberg, Berg et Webern. On voit, avec le temps, que Kandinsky avait fait le bon choix. Mais la lutte était rude. L'éditorial de Marc qui ouvrait l'almanach s'intitulait *Biens spirituels.* C'était viser très haut, le lecteur ne comprit pas. Marc écrivait: «Il est curieux de voir combien la valeur qu'on attache aux biens spirituels est entièrement différente de celle qu'on attache aux biens matériels.

»Si quelqu'un, par exemple, conquiert pour sa patrie une colonie nouvelle, tout le pays lui fait fête... Mais si quelqu'un s'avise d'offrir à sa patrie un bien nouveau, purement spirituel, on le lui refuse presque régulièrement, avec colère et irritation, on suspecte son offrande et on cherche par tous les moyens à s'en défaire: si c'était permis, on brûlerait aujourd'hui encore le donateur pour son don.» Ce n'est que beaucoup plus tard, dans les années 20 en Allemagne, et même seulement après la deuxième guerre mondiale pour bien d'autres pays, que l'on prit conscience de l'importance de cette orientation nouvelle.

De nouveau la Russie

La déclaration de guerre en août 1914 surprend Kandinsky à Munich. Étant sujet étranger, il doit quitter l'Allemagne. Il se rend tout d'abord en Suisse puis retourne en Russie.

Bien que la Révolution d'Octobre n'ait pas de conséquences sur son existence matérielle, on constate que dans son travail ce sont des années creuses. Il peint très peu et même en 1915 il n'entreprend aucune toile. D'aucuns ont attribué ce vide au fait qu'il était séparé de Gabriele Münter, d'autres estiment qu'il ne savait plus très bien où il en était dans son art et qu'il cherchait une issue. La vie matérielle devint très difficile avec la Révolution. On manquait de tout et chacun passait le plus clair de son temps à tenter de se procurer l'essentiel. Difficile de peindre dans de telles conditions; aussi la production de Kandinsky est-elle quantitativement très faible dans ces années-là, d'autant que dès 1918 l'administration des Beaux-Arts lui confie des responsabilités. La Révolution ne fut pas que politique, mais aussi culturelle, et le nouveau régime avait besoin de personnalités pour mener à bien ce renouveau culturel. Kandinsky fut donc successivement membre du Département des Beaux-Arts du Commissariat à l'instruction publique, puis professeur aux Ateliers d'art libre de Moscou. En 1919, il créa le Musée de culture picturale et on lui offrit une chaire à l'université de Moscou. En 1921, il fonda l'Académie de la science générale de l'art et en devint vice-président.

Pendant ce temps, il eut aussi à créer une vingtaine de musées en province. Si ces responsabilités officielles le rangeaient du "bon côté" et lui permettaient de bénéficier de nombreux avantages, il est bien certain qu'il ne lui restait guère de temps pour un travail personnel. Sa notoriété était telle dans les milieux officiels qu'on lui permit en 1921 de se rendre pour trois mois en Allemagne. Il ne reviendra pas à Moscou, perdra la nationalité russe et il sera apatride pendant plusieurs années.

En 1916, à cinquante ans, il fait la connaissance d'une jeune fille de l'aristocratie, Nina Andreievskaïa, et l'épouse l'année suivante. Il avait divorcé d'Ania, rompu avec Gabriele Münter, il était libre. Dans ses mémoires, *Kandinsky et moi*, Nina narre cette histoire comme un conte de fées. Tout d'abord une vieille coutume du temps des tsars voulait que le soir de la Saint-Sylvestre les jeunes filles à marier sortent dans la rue au douzième coup de minuit et demandent au premier homme qui passait son prénom. La légende voulait que la jeune fille épouse un homme portant le même prénom. Un soir de Saint-Sylvestre, dont Nina se garde bien de donner la date, elle sacrifia à cette coutume et le premier garçon qu'elle rencontra lui dit se nommer Wassily: le destin veillait. De même alla-t-elle chez une voyante qui lui annonça une existence hors du commun, la rencontre de personnes illustres, son mariage avec un homme célèbre, un peintre ou un écrivain qui pour l'heure était en Scandinavie. Or, Kandinsky se prénommait Wassily, était peintre et écrivain, et se trouvait à Stockholm à ce moment-là pour une exposition. S'ils se rencontrèrent pour la première fois à Moscou au Musée Alexandre III, aujourd'hui Musée Pouchkine, leur premier contact téléphonique avait bel et bien été organisé par Nina qui connaissait le neveu du peintre, à qui elle demanda le numéro de téléphone de son oncle pour rendre service à quelqu'un qui avait un message à lui transmettre. Et Kandinsky devait lui dire par la suite: «J'ai été profondément impressionné par ta voix.» La Révolution les surprit en plein voyage de noces. Ils rentrèrent précipitamment à Moscou pour trouver les scellés apposés sur la porte de leur appartement. Nina devait, pendant la Révolution, travailler avec son mari dans le cadre de cette création culturelle.

Kandinsky, bien qu'il ne fût ni communiste ni marxiste, occupait les fonctions importantes que l'on sait. Toutefois, il ne fut jamais directeur de cette académie dont il était l'âme puisque, après son départ en 1921, tout périclita. Tout en effet reposait sur son «idée de la Grande Synthèse», et l'on voit combien cet artiste était un organisateur. Cette fois, vu sa position officielle, il avait tous les moyens à sa disposition pour mener à bien cette création d'un art contemporain. Jusqu'à la mort de Lénine, raconte Nina dans ses souvenirs, les conditions de vie des artistes en URSS furent réellement paradisiaques. La liberté créatrice était absolue. On est en droit de penser que si ces conditions s'étaient maintenues, l'art en URSS ne serait pas devenu ce qu'il est devenu, et sans doute Kandinsky en aurait-il été le grand ordonnateur.

Mais, comme l'écrit Nina, «brusquement, le printemps révolutionnaire prit fin. Lorsque la proclamation de la nouvelle politique économique faite par Lénine sonna le déclenchement de la grande crise évolutive de la Révolution russe, l'art entra lui aussi au service de l'idéologie et de la propagande étatiques: ce fut le début de l'époque du réalisme socialiste. En 1922, les Soviétiques interdirent officiellement toute forme d'art abstrait car l'art abstrait fut jugé nocif pour les idéaux socialistes, mais, heureusement, nous étions déjà partis.»

Si Kandinsky quitta la Russie en 1921, ce n'était absolument pas pour fuir le régime. C'était une mission quasi officielle qui lui était offerte. Il était prié de se rendre en Allemagne pour voir ce qui se passait au Bauhaus de Weimar. Cette proposition tombait cependant fort bien car déjà s'annoncaient les mesures répressives envers la création artistique. Peu à peu l'atmosphère de confiance et de liberté se dégradait. En attendant d'aller à Weimar, les Kandinsky s'installèrent à Berlin. Malgré les facilités qui lui furent offertes — un atelier mis à sa disposition notamment —, Kandinsky ne peignit en six mois que deux tableaux. En mars 1922, Walter Gropius, le fondateur du Bauhaus, accompagné de sa femme Alma Mahler, vint à Berlin lui remettre l'invitation officielle de Weimar. En mai, il quittait Berlin et s'installait avec Nina à Weimar. Un nouvel épisode de sa vie commençait, sans doute le plus important.

Les années Bauhaus

Au lendemain de la chute de l'Empire allemand, la toute jeune République allemande chargea au printemps 1919 l'architecte Walter Gropius de fonder à Weimar le *Staatliches Bauhaus* (Maison d'État de la construction), c'est-à-dire une école d'architecture et des Arts et Métiers. Kandinsky avait là une place qui lui convenait tout à fait, puisque l'enseignement reposait sur la mise en application théorique et pratique de la synthèse des arts plastiques. Cette idée venait de loin. Malheureusement, à plusieurs reprises les tentatives d'application firent long feu. Dans la seconde moitié du XIXe siècle, des mouvements suscités par l'esthétique sociale de Ruskin et de Morris essayèrent de réagir contre l'industrialisation, source de mauvais goût, et contre l'académisme victorien qui sclérosait la création artistique. On fonda donc des ateliers afin de redonner à l'art, grâce à l'artisanat, une nouvelle jeunesse et de produire des objets de qualité. La démarche était sociale puisque ces créations devaient être "pour tous". Des groupes comme le Century Guild de Mack Murdo et Crane en 1882 et l'Arts and Crafts Exhibition Society de Morris en 1888 ne durèrent pas longtemps, absorbés qu'ils furent par le Modern Style. En 1890 Henry Van de Velde voyait en l'ingénieur l'architecte de l'avenir et en 1900 Adolf Loos souhaitait une esthétique du fonctionnalisme que Sullivan et Wright devaient promouvoir aux États-Unis. Technique industrielle et culture artisanale connurent une tentative de conciliation en 1907 à Munich grâce à Muthesuis qui avait créé L'union du travail. Malheureusement l'attitude individualiste des membres de l'union entraîna l'échec de cette expérience.

Dès 1914, Van de Velde, devant quitter son poste de l'Académie de Weimar, recommanda à l'archiduc un professeur de l'union qui en 1910 s'était fait remarquer par la construction des usines Fagus d'Alfeld: architecture audacieuse et formes strictement fonctionnelles, c'était Walter Gropius. La guerre devait tout interrompre et ce ne fut qu'en 1919 qu'il prit ses fonctions.

L'Empire s'était effondré et avec lui un certain académisme. La jeune première République allemande entendait partir sur des bases nouvelles et il est curieux de remarquer que ce sont toujours les mouvements dits "de gauche" qui donnent une impulsion culturelle. Que ce geste ne soit pas gratuit est une autre chose; qu'il serve de propagande politique, c'est certain, mais les faits sont là.

Walter Gropius commença par rédiger un manifeste contenant la définition d'un art de la civilisation industrielle: «Le terme de toute activité plastique est la construction. Les arts avaient autrefois pour tâche suprême l'embellissement du bâtiment, et aujourd'hui ils vivent dans un présomptueux individualisme dont seule une collaboration étroite et consciente de tous les travailleurs pourra les libérer. Architectes, peintres, sculpteurs doivent réapprendre à naître et à comprendre l'art multiple de la construction dans son ensemble et dans ses éléments [...] *Architectes, sculpteurs, peintres, tous nous devons retourner à l'artisanat* [...] Il n'y a pas de différence essentielle entre l'artiste et l'artisan. L'artiste est un artisan supérieur.» L'unité des arts constituait toujours le cœur du problème, mais il était envisagé avec une conscience plus réaliste des besoins de la société. Il s'agissait d'intégrer l'art à la vie, de dépasser les contradictions qui l'opposent à la science en utilisant les ressources de la machine.

À dire vrai, il n'y aura pas à proprement parler, au Bauhaus, de "professeurs", mais une communauté de "maîtres" et de "disciples", ce qui le différencie de "l'école" ou de "l'académie". C'était donc une volonté nouvelle résolument contemporaine mais se référant en esprit à l'idéal moyenâgeux du compagnonnage ou des guildes.

Les débuts et la fin du Bauhaus coïncident avec ceux de la première République allemande. Il vécut quatorze ans mais dut déménager deux fois. On peut trouver paradoxal que cette institution, moderne entre toutes, se soit installée dans deux anciennes résidences princières, villes d'importance moyenne, alors qu'on se serait attendu à la trouver dans une grande métropole.

Le 10 avril 1933, deux cents policiers investirent le Bauhaus, alors installé à titre provisoire dans une usine de Berlin. Trente-deux étudiants furent arrêtés, les locaux mis sous scellés. Le nazisme eut raison en Allemagne de ce creuset de l'art contemporain, considéré par lui comme la source de l'art «dégénéré» et un «bouillon de culture bolchevique». Après Weimar, Dessau et Berlin, ce fut la fuite aux États-Unis où le New Bauhaus fut fondé en 1937 à Chicago, et que Moholy-Nagy dirigea jusqu'à sa mort en 1946.

Oskar Schlemmer, dans son *Journal* publié à Munich en 1958, définit l'esprit du Bauhaus: «La structure propre du Bauhaus s'exprime dans la personne de son chef, elle n'est soumise à aucun dogme, c'est une ouverture à tout ce qui est nouveau, à tout ce qui bouge dans le monde, c'est une volonté d'assimiler, c'est en même temps une volonté de stabilisation, pour réduire tout cela à un dénominateur commun, pour créer un code. D'où des combats spirituels, ouvertement ou en secret, comme il n'y en eut peut-être nulle part ailleurs, et une inquiétude continuelle, qui obligeait chacun à prendre presque quotidiennement position sur les problèmes de fond.»

Mis à part le sculpteur Gerhard Marks, les maîtres étaient tous des peintres. Gropius estimait que depuis le début du siècle la peinture dominait les autres arts car elle avait créé une esthétique nouvelle qui devait être la base des autres disciplines. Délaissant les expressionnistes (Nolde, Chagall, Kokoschka), il ne fit appel qu'à des cubistes et des abstraits et bien entendu, parmi ces derniers, au fondateur de la peinture abstraite, Kandinsky. Ludwig Grote, dans le catalogue de l'exposition Bauhaus au Musée national d'art moderne et à celui de la Ville de Paris en 1969, rappelle la position de Kandinsky à l'époque. Kandinsky n'avait pas encore trouvé la très large audience dont il jouit aujourd'hui. Seuls quelques-uns reconnaissaient la signification historique exceptionnelle de son œuvre, de mieux en mieux comprise depuis lors. Les galeries allemandes le traitaient avec beaucoup de réserve, et ce fut bien des années plus tard que Kandinsky put entrer à la National Galerie de Berlin.

Et de rappeler par la même occasion que Paul Klee connut le même sort alors que Lyonel Feininger avait déjà une grande notoriété. Dans ses mémoires, Nina Kandinsky écrit au sujet d'une exposition que son mari fit avant leur départ de Berlin: «À cette exposition la presse réagit comme on s'y attendait. Chaque fois que Kandinsky créait quelque chose de nouveau, la critique se montrait réticente. "Où sont donc tes riches couleurs, tes couleurs explosives, Kandinsky? Pourquoi ces toiles teintées de tant d'intellectualisme?" Kandinsky faisait bonne contenance à ce reproche: "Je m'y suis habitué avec le temps. Les gens ne veulent toujours que ce qui leur est familier. Ils s'opposent à toute nouveauté. Mais c'est justement là que se trouve le devoir de l'artiste: lutter contre l'habitude, peindre l'inaccoutumé. L'art doit aller de l'avant. Rien que des explosions en art, à la fin, c'est monotone!"

»On parle souvent des peintres du Bauhaus. Ils ne constituaient pas un groupe, avec un programme déterminé. Ce qui les réunissait, ce n'était pas un système mais un mouvement incluant plusieurs tendances. Tous les maîtres du Bauhaus étaient également indépendants comme artistes et comme hommes. [...] La peinture n'avait d'importance au Bauhaus qu'en tant que peinture murale et élément de décoration, en liaison avec l'architecture. Cependant, la peinture libre eut toujours des partisans parmi les étudiants qui avaient la possibilité d'exposer. Kandinsky, Klee, Feininger étaient toujours prêts à les conseiller et à les aider.» Rien d'étonnant lorsqu'on lit ce que Macke — cependant assez réservé à l'égard de Kandinsky — dit de lui: «Quant à Kandinsky, c'était un type très particulier, exceptionnellement doué pour stimuler tous les artistes qui tombaient sous sa coupe. Il a quelque chose de singulièrement mystique, fantastique, allié à un curieux pathos et à du dogmatisme.» Si le grand pédagogue du Bauhaus fut Albers, chargé du cours préliminaire. Kandinsky devait enseigner le dessin analytique et organiser en 1922-1923 un séminaire sur la couleur, celle-ci étant sa grande préoccupation dans son propre travail personnel. Mais il ne s'agit pas de la couleur pour la couleur, de la couleur pure comme les Fauves purent l'employer. Il s'agit chez lui de rapports d'ordre scientifique entre la couleur et les formes, tout comme Rimbaud avait établi un rapport entre les couleurs et les voyelles. Cette démonstration est très ardue et difficile à comprendre pour les non-spécialistes. Cependant il faut en donner quelques exemples, entre autres celui de la correspondance entre les couleurs et les angles exprimés en degrés: à un angle de 30° correspond le jaune; de 60°, l'orange; de 90°, le rouge; de 120°, le violet; de 150°, le bleu. De même, les formes géométriques correspondent à des couleurs.

Il a lui-même précisé en 1926: «Le caractère chaud et froid du carré, sa nature évidemment plane font penser au rouge, degré intermédiaire entre le jaune et le bleu, qui possède lui-même cette qualité chaude-froide [...] Dans l'espèce des angles (ligne-angle), il faut choisir un certain angle qui se situe entre l'angle droit et l'angle aigu: un angle de 60° (droit − 30° et aigu + 15°). Quand deux de ces angles se rencontrent avec leurs ouvertures, on a un triangle équilatéral — trois angles acérés, actifs — et on pense au jaune. Ainsi l'angle aigu est jaune. L'angle obtus perd petit à petit de son agressivité, de son piquant, de sa chaleur, il évoque ainsi vaguement une ligne non angulaire, qui constitue le troisième type de surface primaire schématique: le cercle. Et la passivité de l'angle obtus, son absence presque totale de tension vers l'avant, lui confèrent une légère couleur bleue.

»À partir de là, on peut découvrir d'autres rapports. Plus l'angle est aigu, plus il se réchauffe, et inversement la chaleur décroît progressivement vers l'angle droit rouge et penche de plus en plus vers le froid jusqu'à l'angle obtus (150°), un angle typiquement bleu qui fait pressentir la courbe et qui tend finalement vers le cercle.» Si ardue à comprendre que soit pour le grand public une telle démonstration, il convenait de la citer pour montrer l'aspect scientifique de la recherche de Kandinsky dont les tableaux abstraits dégagent une si grande poésie. Les deux aspects ne sont point incompatibles, et si précisément la poésie exprime ces recherches sur des toiles qui peuvent même paraître ludiques, c'est l'émanation de cette "nécessité intérieure" qui lui tient tant à coeur — lui qui était libéral avec ses élèves se montra un jour d'une grande sévérité envers l'un d'eux qui avait traité un sujet "à la japonaise". Il estimait que c'était de la copie et ne trouvait aucune excuse, bien que cette copie fût fort talentueusement faite. Aussi ne faut-il pas faire crédit à ceux qui déclarèrent que son œuvre devait beaucoup au constructivisme d'un Tatlin ou au suprématisme d'un Malevitch.

Ce fut avec joie qu'il accepta d'aller à Weimar. Berlin n'était pas une ville où il se sentait bien. De plus, au lendemain de la défaite, les conditions de vie y étaient effroyables. Cependant, si Weimar était une cité d'aspect agréable, la mentalité de ses habitants était restée très conservatrice et très petite-bourgeoise. Leur grand homme, même s'ils n'avaient pas lu une seule ligne de lui, était évidemment Goethe, dont ils se servaient pour faire de la réclame, comme on disait alors, c'est-à-dire ce que nous appelons aujourd'hui publicité. Même les savons de toilette étaient à l'effigie de Goethe.

Le Bauhaus, dans la ville, paraissait une monstruosité pour ces gens si conventionnels et Nina Kandinsky raconte: «Une menace lancée par les parents autoritaires avait cours dans Weimar, qui rappelait immédiatement à la raison tous les enfants récalcitrants: "Je vais t'envoyer au Bauhaus!" À les croire, le Bauhaus était la résidence locale du diable.» Les temps étaient difficiles en ce moment de la montée du nazisme, et les calomnies allaient bon train. C'est ainsi que les Kandinsky furent taxés de communisme d'une part et d'antisémitisme d'autre part. Il faut dire que cette dernière accusation venait de la perfide Alma Mahler, l'épouse de Gropius, qui regrettait peut-etre une certaine froideur de Kandinsky à son égard. La première accusation pouvait avoir des conséquences redoutables sous le national-socialisme, la seconde aurait pu brouiller Kandinsky avec bon nombre de ses relations. L'une comme l'autre étaient, bien sûr, dénuées de tout fondement, mais comme la presse s'en était mêlée, Kandinsky dut réagir vigoureusement, aidé en cela par ses vrais amis.

Le Bauhaus vivait donc en vase clos et organisait ses propres fêtes à l'occasion du passage de visiteurs étrangers qui venaient faire des conférences ou donner des cours. Kandinsky fit une exposition de ses œuvres. Ce fut une véritable révélation. Ré Soupault — la femme du poète surréaliste — et Gunta Stölzl le confirment: «Nous avons été enthousiasmés par ces tableaux [...] Ce sont surtout les toiles absolument extravagantes de Kandinsky qui nous ont tellement bouleversés. C'est cela sa révolution, qu'on ne peut pas oublier et qu'on n'oubliera pas.»

Quant à son enseignement — il était chargé de la classe de peinture murale et du cours préliminaire —, il fut d'une importance considérable pour le Bauhaus et pour ses élèves. Gunta Stölzl en témoigne: «Nous admirions sa précision et sa logique. Il était très déterminant. Tout ce qu'il disait était toujours judicieux et irréfutable dans les faits. Avec Klee, en revanche, tout restait toujours un peu en suspens. On pouvait en tirer ce qu'on voulait. L'enseignement de Kandinsky était très constructif.» Tous sont d'accord là-dessus, mais Herbert Bayer est plus nuancé: «Kandinsky possédait le don sublime de ne pas se hausser au-dessus des élèves, mais de les aider et de les conduire dans leur développement. C'était là le principe de base des méthodes d'enseignement pratiquées au Bauhaus. Il respectait le talent individuel et la personnalité de l'élève. Il pouvait se montrer très sûr de lui, mais sans jamais manquer de courtoisie [...] C'était un parfait gentleman, ne faisant sentir à personne sa supériorité. Sa critique était objective.» Ses réflexions sur l'univers de la forme et celui de la couleur, Kandinsky devait les réunir en 1926 dans son livre *Point, ligne, plan*, ouvrage aussi important que le précédent, *Du spirituel dans l'art*.

S'il entretenait des rapports amicaux avec ses collègues du Bauhaus Feininger, Muche, Schlemmer, c'est surtout avec Klee qu'il avait des rapports privilégiés. À dire vrai, Weimar n'avait jamais accepté de bon cœur ce Bauhaus. Le temps passant, les intrigues des officiels de la ville allaient bon train. Les idées nouvelles ne pouvaient longtemps faire bon ménage avec l'esprit conservateur étriqué des notables. Aussi, le 26 décembre 1924, le Bauhaus fut dissous. Parmi les villes qui posèrent leur candidature pour accueillir ce centre de culture et de création, Dessau l'emporta.

Avant même que les autorités ne décident la fermeture, Kandinsky avait songé à quitter Weimar pour une grande ville. Il avait pensé à Dresde, où il comptait amis et collectionneurs, et où il aurait pu être professeur à l'Académie, une Académie ouverte aux idées nouvelles. Il faut dire que la vie était difficile; l'inflation galopante continuait et organiser des expositions coûtait des fortunes, ne fût-ce que pour réunir le matériel nécessaire. C'est alors que le collectionneur Otto Ralfs eut l'idée de fonder une Société Kandinsky: les membres de cette société payaient une cotisation en échange de laquelle ils avaient droit en fin d'année à une aquarelle. On créa aussi une Société Klee.

Pendant les années qu'il passa à Weimar, Kandinsky fit quelques belles expositions en Allemagne, mais aussi à New York. C'est alors qu'eut lieu la création du *Blaue Vier*, société qui réunit Kandinsky, Klee, Feininger, Jawlensky et qui avait pour but de les faire connaître par des expositions à des collectionneurs américains.

Dessau était une ville plus agréable à vivre que Weimar. Bien qu'elle n'eût plus alors l'importance qu'elle avait eue en sa qualité de résidence des princes du duché d'Anhalt depuis 1341, elle conservait une vie culturelle et avait réussi cette difficile alliance du passé et du présent: charme d'une ville résidentielle et dynamisme d'une ville industrielle puisque, parmi les industries prospères, s'y trouvait l'usine d'aviation où l'on fabriquait les Junkers. Lorsque le Bauhaus s'installa dans un palais 1900 construit par Messel — avant de construire ses propres bâtiments — la population accueillit favorablement cette initiative. De plus, la vie matérielle y était plus facile qu'à Weimar, les subventions accordées étant plus importantes et la diffusion des créations du Bauhaus — meubles conçus par Marcel Breuer, éclairages de Marianne Brandt et typographie de Herbert Bayer — fort rentable grâce à la mise sur pied d'une société à responsabilité limitée, la *Bauhaus-GmbH.*

Le Bauhaus diffusait une revue qui informait sur ses activités et le premier numéro parut le jour de l'ouverture, le 4 décembre 1926; il était consacré à Kandinsky dont c'était le soixantième anniversaire. À cette occasion, plusieurs expositions de lui furent organisées. Il ne faut pas imaginer Kandinsky comme une sorte de savant Cosinus malgré la rigueur de ses recherches et le travail qu'exigeait de lui son enseignement. C'était un homme très vivant, aimant les fêtes et la nature. Aussi fut-il ravi de son installation à Dessau lorsque Gropius eut construit à la limite de la ville les appartements des maîtres et les salles du Bauhaus. Il écrivit: «Nous vivons comme à la campagne, loin de la ville, on entend les poules, les oiseaux, les chiens, ça sent le foin, le tilleul, les haleines de la forêt. En quelques jours on est devenu un autre homme. Même le cinéma ne nous attire pas, c'est beaucoup dire, c'est tout dire.» En effet Kandinsky adorait le cinéma et son acteur préféré était Buster Keaton. Kandinsky n'était pas un homme austère malgré son air assez solennel.

Bien que l'art seul comptât pour lui, il savait profiter de l'existence et son âge ne le tourmentait guère. À soixante ans il écrivit: «On lit dans un roman russe: les cheveux sont stupides, ils ne s'occupent pas du jeune cœur et ils blanchissent. En ce qui me concerne je n'ai ni le respect, ni la frayeur des cheveux blancs. Je voudrais encore vivre... disons cinquante ans pour pouvoir pénétrer dans l'art toujours plus profond, plus profond. On est obligé de cesser beaucoup trop tôt et juste au moment où l'on a le premier pressentiment. Mais peut-être qu'on pourra continuer dans l'au-delà.» Comme on peut s'en rendre compte, il est résolument optimiste.

Peu d'événements dans sa vie pendant la période de Dessau et, surtout, aucun voyage. En effet, comme il n'est pas rentré en URSS comme prévu, il est sans nationalité jusqu'à ce qu'en 1928 il devienne citoyen allemand. Mais Dessau, grâce au Bauhaus, était devenu un haut lieu culturel. Des musiciens comme le chef d'orchestre Léopold Stokovsky, des collectionneurs comme S.R. Guggenheim, des peintres tels que Marcel Duchamp, Amédée Ozenfant, Albert Gleizes et aussi des hommes de science qui venaient donner des conférences fréquentaient le milieu du Bauhaus. Quant à Kandinsky, en dehors des expositions individuelles, il acceptait volontiers de participer à des expositions collectives, à l'étranger notamment, où il n'était pour ainsi dire pas connu.

Ce n'est que vers les années 30, après deux expositions à Paris (Galerie Zak en 1929 et Galerie de France en 1930) que sa situation change: des musées allemands, ceux de Berlin et de Hambourg notamment, achètent des œuvres de lui, les collectionneurs se multiplient, seules les galeries continuent à préférer les expressionnistes. Muni de son nouveau passeport, Kandinsky peut recommencer à voyager à l'étranger. Il ne s'en prive pas. Il rencontre Arnold Schönberg sur les bords du Wörthersee en Carinthie. En 1928, il séjourne sur la Côte d'Azur, et l'année suivante à Ostende, où il rencontre James Ensor, puis retrouve Paul Klee sur la côte basque. Ensuite, c'est Paris et l'Italie, où il est fasciné par les mosaïques de Ravenne avant d'entreprendre un voyage en Égypte sur les traces de Paul Klee qui l'a fait précédemment. Il visite en fin la Syrie, la Grèce, la Turquie et passe des vacances dans cette ville surréaliste de Yougoslavie qu'est Dubrovnik. Tout allait pour le mieux, semble-t-il; c'était compter sans l'acharnement des nazis contre le Bauhaus et cet art nouveau qualifié de dégénéré. En septembre 1932, les nazis font fermer le Bauhaus de Dessau, dont, cinq ans plus tôt, Gropius avait démissionné. Hannes Meyer lui avait un temps succédé, mais il avait été relevé de ses fonctions et c'était le célèbre architecte Mies van der Rohe qui en avait pris la direction.

Kandinsky se rend alors à Berlin où une tentative de réformer le Bauhaus, bien entendu, échoue. La tension politique monte. Devant ce danger nazi qui s'étale en plein jour, Kandinsky décide de quitter le pays.

Les années Paris

Pour les fêtes de Noël 1933, les voilà, lui et Nina, en exil à Paris. Il ne devait plus retourner ni en Russie, ni en Allemagne. C'eût été pourtant son désir car il écrit au moment du départ: «Nous ne voulons pas quitter l'Allemagne pour toujours, je n'y arriverai jamais car mes racines plongent trop profondément dans le sol allemand.» Finis donc les jours heureux de Dessau, les promenades à vélo, les sorties en calèche de louage pour aller voir les lilas en fleur, comme le raconte Nina dans son livre. Reste le bilan très positif de ces années.

Bilan sur le plan du travail personnel: malgré ses nombreuses et multiples occupations, il a réalisé beaucoup d'œuvres, tableaux ou aquarelles. Quant au Bauhaus, bilan très positif également, car outre l'enseignement proprement dit, il écrivit de nombreux articles dans les revues, s'occupa activement de faire comprendre l'art synthétique, mit en scène pour le théâtre de Dessau *Tableaux d'une exposition* de Moussorgsky, établit le projet d'une céramique murale pour l'exposition d'architecture de Berlin.

Kandinsky avait eu peu de rapports avec la France jusqu'à ses expositions de 1929 et 1930. Le premier long séjour qu'il avait fait à Sèvres datait de 1907; son art avait changé, mais ce qui n'avait pas changé, c'était l'incompréhension vis-à-vis de l'art abstrait. Bien qu'ils fussent installés en France, personne ne connaissait Mondrian, Kupka, Vantongerloo ou Doesburg. Il fallait beaucoup d'entêtement à Christian Zervos pour publier les *Cahiers d'art* et un certain goût du défi pour demander à Kandinsky en 1931 d'y faire paraître son article *Réflexions sur l'art abstrait*. On lui donnait ainsi la possibilité de prouver «que la peinture sans objet est véritablement de la peinture et qu'elle a droit à l'existence à côté de l'autre peinture». Zervos, même s'il avait en 1930 publié une monographie de Kandinsky par Will Grohmann, ne fut pas aussi fidèle lorsqu'il fut question en 1937 d'une exposition d'art abstrait. Poussé par les cubistes, Zervos abandonna le projet.

Pour l'heure, les Kandinsky s'installent à Neuilly au sixième étage d'un immeuble donnant sur la Seine, avec vue sur le Mont-Valérien, à deux pas du bois de Boulogne. Il devait reconstituer là un appartement semblable à l'installation de la maison de Dessau, c'est-à-dire dans l'esprit du Bauhaus par la rigueur des formes, sans négliger la couleur qui pour lui était un élément vital. La situation matérielle n'est pas des plus brillantes: étant donné le climat politique, les collectionneurs allemands achètent beaucoup moins, et seuls quelques peintres français ont des contrats avec des galeries. Mis à part les Delaunay, Léger et Arp, les confrères français sont plus que réservés sur son art, et ses relations amicales, il les noue avec des étrangers, Miró, Mondrian, Chagall, Max Ernst, Brancusi, Magnelli, Pevsner, etc... Bien qu'il ait beaucoup de demandes à l'étranger, au moment de la guerre, toute transaction devient impossible. Jusqu'à cette date, il continue cependant à voyager pour ses vacances. Il refusera de quitter et Paris et la France. L'exode pour lui se réduira à un séjour de deux mois à Cauterets où il apprendra la mort de son ami Paul Klee.

À dire vrai, Kandinsky fut très déçu de son installation parisienne. Le milieu artistique lui était hostile, les marchands qui s'étaient entichés du cubisme étaient submergés par ces œuvres et entendaient bien les écouler avant de s'encombrer d'autre chose, en l'occurrence l'art abstrait. Il fut d'autant plus déçu que lors des expositions de 1929 chez Zak et de 1930 à la Galerie de France, il avait fort bien vendu ses œuvres. André Breton lui-même avait acheté deux petits formats et devait lui dire: «Votre influence sur les surréalistes est indéniable.» Étant donné que personne ne s'intéressait au travail des abstraits, pour la plupart des étrangers — et l'on connaît le chauvinisme en France —, ils décidèrent de se réunir pour mieux se défendre et créèrent le groupe Cercle et Carré, qui éditait une revue, et qui comptait parmi les Français les Delaunay et Seuphor.

Un jeune écrivain d'art, que Kandinsky avait rencontré par hasard à la Galerie Percier tenue par André Level, alla jusqu'à fonder la revue d'art *XXe siècle* pour Kandinsky. C'était San Lazzaro. Malheureusement, là encore, cet énorme effort de la part d'un écrivain italien, connu dans son pays, ignoré en France, n'eut pas les résultats espérés. On se rend compte que c'est dans tous les domaines — peinture, musique, littérature — que l'étranger n'intéressait pas la France et que même les créateurs d'un art nouveau n'avaient d'audience qu'auprès d'une société restreinte.

En Allemagne, c'était pire: on en était à la chasse aux sorcières. Le Folkwang Museum d'Essen avait vendu à un particulier un tableau de Kandinsky. Étant donné le prix exorbitant payé par le collectionneur, le peintre crut que son travail continuait à avoir une audience de qualité. Un article de l'ancien directeur du musée devenu haut gradé chez les SS, le comte Klaus von Bandissin, devait le détromper. Le titre de l'article était: *Le Folkwang Museum d'Essen se débarrasse d'un corps étranger*. Quant à son contenu, le voici: «Le Folkwang Museum dispose d'une vaste collection d'œuvres qui, en 1933, ont été définitivement reléguées dans l'entrepôt, où elles continuent à mener leur existence fantôme dans la demi-obscurité; leurs dissonances stridentes sont une accusation contre le monde détraqué d'où elles sont originaires et dont elles portent la responsabilité. Avec leurs masques et leurs grimaces, leurs gueules fracassantes en vert glauque et rouge venimeux, qu'on prendrait pour des cadavres nettoyés, ils reflètent le monde. Reflet d'un monde en décadence, d'un monde dépourvu de joie et de bonheur.

»À côté de ces documents d'une existence mal vécue, il y en a d'autres qui s'abstiennent carrément de vivre, qui se sont détachés de la vie. Cette peinture qui se désigne elle-même comme "absolue" a abandonné le domaine de l'objectivité sensible: elle s'est dégagée du monde réel et a parachevé la régression dans les éléments primitifs du point, de la ligne et du plan. Elle forme, si on veut bien me permettre l'usage de ce mot ici, un monde rudimentaire, un monde qui a précédé le premier jour de la création. Or avant ce jour, régnait le chaos.

»En provenance de ce stock, le Folkwang Museum vient de vendre à la galerie Ferdinand Möller à Berlin, pour la somme de neuf mille Reichsmarks, la grande toile intitulée *Improvisation*, peinte en 1912 par Wassily Kandinsky, citoyen russe né à Moscou en 1866. Kandinsky est le fondateur et le manager de la peinture absolue. À ceux de ses tableaux qu'il baptise lui-même *Improvisation pure*, on trouverait tout au plus "des analogies dans un royaume chaotique de plasma, de sperme, de bactéries et de spinotères", comme les a définis un de leurs disciples.

»Nous ne pouvons pas mettre sur le compte du hasard le fait qu'un déraciné, un homme devenu étranger dans sa propre nation, ait lancé cette idée, pour aboutir à un jeu de l'intellect dépouillé de tout sens, d'un intellect qui se pose en absolu, d'un intellect à moitié formé, déréglé et par là même dirigé contre la vie, d'un intellect ayant des idées de suicide. Le résultat est une sorte d'alphabet morse, le nouveau langage du monde artistique. Quelle erreur amusante de vouloir discerner dans les couleurs et les lignes de cette peinture absolue un langage intelligible ou des "signes de l'âme"! Ce n'est tout de même pas cette "saisie au-delà de la réalité" inhérente à toute forme d'art authentique: au contraire, cette "saisie au-delà de la réalité" justement est rendue impossible par le fait qu'ici, on essaie de sortir de toutes les catégories de conceptions qui sont innées en nous, et de pénétrer dans l'absolu. Seul un esprit russe pouvait penser à cela. On peut lui appliquer le dicton qui lui convient à merveille: il a perdu les pédales.

»En général, le Folkwang Museum conserve les produits de ces genres artistiques comme pièces à conviction pour montrer la situation avant la prise du pouvoir. Ce procédé correspond d'ailleurs à un principe fondamental dont la justesse a été confirmée par de nombreuses expériences, à savoir, ne rien vendre ou échanger en provenance des collections appartenant au domaine public. Dans le cas présent, cette exception unique en son genre a été dictée par la raison. Cette vente n'appauvrit pas le musée; la réserve de ces pièces à conviction est suffisamment riche pour supporter cette perte. D'un autre côté, la contrepartie portée volontairement à une somme très élevée peut profiter à un art que nous soutenons. Qu'il se soit trouvé un amateur tellement intéressé par ce tableau qu'il était prêt à verser cette somme fabuleuse pour l'obtenir, voilà qui ne devrait pas surprendre. On sait bien que les synagogues comptent aussi parmi les maisons de Dieu. On les construit à prix d'or. Et y vont ceux qui leur ressemblent. Nous pas, en tout cas.

»Mais une bonne reproduction photographique suffira amplement comme souvenir de cet essai de russification de l'art allemand.»

Kandinsky comprit vite l'étendue du désastre: «C'est le signal du déclenchement de la chasse à l'art moderne. Pourvu que les collectionneurs privés trouvent suffisamment de cachettes pour sauver leurs trésors de la réquisition.»

Si l'URSS se contenta seulement de reléguer dans les caves les tableaux abstraits et non de les détruire comme le fit Hitler, seul le régime fasciste italien — tout en préférant le "classique" (création du Foro Italico avec ses statues à la Arno Brecker) laissait la liberté d'expression à tout artiste quel qu'il fût. Mais cela, c'est le "miracle italien"!

Kandinsky était la précision même dans sa vie quotidienne et la rigueur absolue dans ses relations. Il comprit vite les tractations douteuses de certains marchands de tableaux et seule trouva grâce à ses yeux Jeanne Bucher: «C'est la seule galerie d'art qui ne participe pas à cette politique malpropre.» Pour lui, Jeanne Bucher était «le corbeau blanc au milieu des corbeaux noirs. C'est un esprit libre, au meilleur sens du terme, qui ne manque pas de courage. Elle expose toujours les jeunes artistes chez qui elle discerne de la qualité — que ce soit une qualité "légale", c'est-à-dire l'art légitimé par les "grosses galeries" ou non».

Il fit trois expositions chez elle en 1936, en 1939 et en 1942, ce qui en pleine occupation allemande était de la folie, même si cette exposition fut réalisée en cachette. C'est elle vraisemblablement qui a persuadé André Dézarrois, directeur du Musée du Jeu de Paume, d'acheter *Composition IX* et une gouache, les premières œuvres abstraites exposées dans un musée français et signées de Kandinsky. Nina Kandinsky appellera cette époque parisienne 1934-1944 l'époque de la "grande synthèse". Ainsi donc, la boucle était bouclée; Kandinsky avait à soixante-dix-huit ans réalisé son projet de jeunesse.

Kandinsky et les autres

On serait en droit de penser que cet homme si occupé par son enseignement, ses écrits, sa peinture était obligé de vivre en solitaire. Il n'en était rien. Tout d'abord parce que le Bauhaus était une grande communauté et que les contacts avec les autres étaient permanents. Ses élèves sont unanimes à vanter non seulement ses qualités pédagogiques mais aussi ses qualités humaines, son ouverture d'esprit, son goût pour l'échange d'idées. Tout cela, bien sûr, dans certaines limites, les discussions sans but et sans fin des Montparnos dans les cafés n'étant pas son affaire. Avec les autres peintres il entretenait des rapports courtois ou les ignorait parfaitement. Ce fut le cas pour Picasso qu'il ne souhaita jamais rencontrer.

Nina Kandinsky prétend qu'il devait y avoir un sentiment de jalousie de la part de Picasso, lorsqu'il apprit que Kandinsky s'installait à Paris. Au premier abord, on ne voit pas pourquoi. Picasso était illustre, Kandinsky inconnu à l'époque. À moins que le perspicace Pablo n'ait pensé que dans un genre différent du sien, ce pouvait être à la longue un rival dangereux. Picasso le trouveur était évidemment aux antipodes de Kandinsky le chercheur.

Il est bien évident que le constructeur-destructeur qu'était Picasso se situait aux antipodes de l'art de réflexion de Kandinsky. Paul Klee, en revanche, fut le grand ami, l'indéfectible. Encore que leurs travaux soient foncièrement différents, il y a une communauté d'esprit entre eux. Nina Kandinsky était-elle devineresse? Ne le connaissant pas, elle avait reconnu Miró, c'est elle qui l'affirme. Ils se rendaient chez Pierre Loeb en métro lorsqu'un petit monsieur trapu monta à un arrêt. Elle dit à son mari sceptique: «C'est Miró.» Descendus à la même station, ils se dirigèrent vers le même endroit et arrivèrent ensemble chez Pierre Loeb qui, ouvrant la porte, n'en crut pas ses yeux. Cette banale anecdote pour dire que Miró reconnaîtra l'influence que Kandinsky eut sur lui à ses débuts. Malgré une grande différence d'ordre plastique, une chose les réunit: la poésie.

Kandinsky avait des relations suivies avec Miró donc, mais aussi avec Arp, Magnelli et André Breton qui s'acharnait à voir en lui un surréaliste plus qu'un abstrait, «Votre influence sur les surréalistes est indéniable», se plaisait-il à lui répéter. Quant à San Lazzaro qui contribua énormément à faire connaître Kandinsky, il disait du peintre: «C'était un révolutionnaire, mais pas de l'espèce des cubistes par exemple. Il voulait donner à l'art une base sûre. Et il a atteint son objectif. Il peignait avec des moyens sobres, mais ses tableaux étaient pleins d'imagination et d'inspiration. De la musique sur fond de mathématiques. Il a métamorphosé l'art dans son ensemble.»

La critique, pour sa part, était moins élogieuse, ce qui est un plaisant euphémisme. Les plus grands noms de la plume se ridiculisent à longueur de colonnes. Parce que Tériade avait écrit dans *L'intransigeant*, lors de l'exposition chez Zak en 1929, «C'est un peintre doublé d'un savant», François Fosca réplique dans *L'amour de l'art*: «Il paraît que Kandinsky est un peintre doublé d'un savant. Pour moi, j'en doute fort parce que ce qu'il nous montre ne prouve ni sa science de savant, ni son talent de peintre. Avec un kaléidoscope de quelques francs, le premier venu peut s'offrir des spectacles ''libérés de toute représentation extérieure'' et dont l'intérêt dépasse de beaucoup les monotones recherches de Kandinsky. ''Ce n'est pas laid de couleur'', me dit quelqu'un. N'oublions pas qu'à notre époque, lorsqu'on dit cela d'une œuvre d'art, c'est que vraiment il n'y a rien d'autre à dire.»

Plus prudent, Georges Charensol, dans *L'art vivant*, se demande si l'exposition chez Zak est bien la «révélation attendue»: «Les aquarelles de Kandinsky qui nous sont montrées aujourd'hui sont toutes datées de ces trois dernières années. Il se peut que, dans le passé, le peintre germano-russe ait réalisé des œuvres plus caractéristiques, car on ne s'explique guère que ces constructions abstraites aient pu avoir sur l'évolution de la peinture allemande une profonde action, et l'influence de Wassily Kandinsky a même passé les frontières, puisque certains de nos surréalistes semblent fortement tributaires du peintre de Munich et de Dessau [...] En somme, cette exposition, dont on pouvait beaucoup attendre, ne nous renseigne guère sur l'état actuel de la peinture allemande qui continue à nous rester à peu près inconnu.»

L'année suivante, Charensol récidivera: «Quant à Kandinsky, qui fait, paraît-il, en Allemagne et en Russie figure de gloire internationale, son exposition de peinture à la Galerie de France, pas plus que les aquarelles qu'il nous montra l'an dernier à la Galerie Zak ne parviennent à nous convaincre de son génie.» Pierre Courthion, dans *Le Centaure*, patauge quelque peu, ne sachant à vrai dire comment analyser ou présenter ces créations: «[...] peintures de Kandinsky, où le grand géomètre, presque sans le vouloir, revient au ''sujet'', à la modulation colorée telle que la comprenait un Cézanne. Kandinsky a fait un pas de plus vers la peinture pure. C'est bon signe. Kandinsky a maintenant un grand respect pour la belle matière qu'il s'efforce d'obtenir. Son coloris n'a pas la finesse, l'incantation de celui de Paul Klee, mais il est souvent sonore et d'une blanche fraîcheur. Cette exposition [...] complète fort heureusement l'idée que nous nous faisions du peintre russe: elle montre que sous le géomètre se cache un artiste d'une grande noblesse.»

On est surpris des termes employés: tout d'abord il semble qu'avant d'être peintre, il soit «russe», séquelle du racisme français! Il est vrai que Picasso a dit: «On est toujours l'enfant de son pays», et qu'un peintre tel que Jean Bazaine — sans racisme aucun — estime qu'Hartury est un peintre allemand tout comme Pollock un peintre américain. Lorsqu'on pense que l'École de Paris, fleuron de la peinture française de l'entre-deux-guerres était composée d'immigrés d'Europe centrale, on reste rêveur quant à la logique au pays de Descartes! Mais la stupidité est plutôt dans le mot ''géomètre'' employé d'ailleurs avec inexactitude. Pour le reste c'était le jargon habituel de la critique, plus rompue à parler des ''beaux peintres'' des salons officiels qu'à découvrir une nouvelle expression dans l'art pictural. Le même critique récidive en 1930 lors de l'exposition à la Galerie de France: «Le Russe Kandinsky est d'une impeccable logique: le rythme court dans le trait, la teinte est mesurée avec un sens mathématique des dosages. Les couleurs, le vert, le rouge et le blanc, sont des enfants auxquels le peintre permet de s'amuser dans de petits jardins de forme triangulaire, dont les limites sont nettement tracées (le blanc a le moins d'espace, le vert en a le plus). Des baguettes tracées comme des flèches dans plusieurs directions donnent à l'œuvre son chant en la situant dans un espace imaginaire. Et tout semble finir par le *quod erat demonstrandum*.»

Comprenne qui pourra, mais rien d'étonnant si de pareils textes ne contribuèrent pas à lancer Kandinsky! À noter cependant «s'amuser». Très longtemps on n'a eu d'intérêt que pour l'aspect ludique de l'œuvre, ce qui est limiter considérablement la portée d'une telle recherche.

Car il y a évidemment une autre dimension: celle du rêve et de la poésie. D'ailleurs, Kandinsky illustra des contes du poète Alexeï Remizov avec qui il était en relations amicales.

Remizov nota toute sa vie des rêves vécus ou imaginés dédiés aux enfants parce qu'ils ne sont pas encore "cartésiens". Cela explique deux choses: la part de rêve et de poésie chez Kandinsky, et en conséquence l'impossibilité de l'approche de son œuvre avec les données de la logique cartésienne. D'où ces critiques embarrassées de la part des historiens d'art français. Ce monde de l'enfance et du rêve poétique explique à son tour la prédilection qu'avait Kandinsky pour le douanier Rousseau, dont il possédait d'ailleurs deux œuvres. Quoi de plus éloigné à première vue du "géométrisme" de Kandinsky que le délire enfantin du naïf douanier!

L'année même de la mort de Kandinsky, après une exposition d'art abstrait à la Galerie Berri-Raspail, s'ouvrait à L'esquisse une exposition similaire qui lui était consacrée. La critique n'a pas changé d'avis et on peut lire dans *Carrefour*, sous la plume de Franck Elgar: «[...] j'estime que voilà un mouvement esthétique bien dépassé aujourd'hui. Expression d'une époque, l'art abstrait semble aujourd'hui, en dépit de son allure provocatrice, un simple anachronisme [...] Repris par le sortilège des formes et la magie des couleurs, il nous est difficile de nous attacher à un art qui les nie [...] Malgré tout ce qu'on a écrit à ce propos, la peinture sans objet n'est pas de la peinture.» Voilà pour le côté négatif qui met aussi en cause l'inutilité de la "nécessité intérieure", qui estime également que le jeu glacé de figures ornementales convient davantage à la composition publicitaire, au catalogue, à l'affiche. Cependant, Franck Elgar, malgré sa haine pour l'art abstrait, poursuit: «Cela dit, il faut bien convenir que les œuvres de Kandinsky actuellement exposées méritent le plus vif intérêt. On pourrait parler, comme le poète, de "la musique du silence" en face de ces orbes et de ces cercles tracés par Kandinsky dans l'espace d'un ciel pétrifié. De la brutale rencontre d'une courbe et d'une horizontale semble naître un son unique et pur, sans harmoniques.

»Mais où Kandinsky déploie sa maîtrise hautaine et provoque l'admiration, c'est quand il s'éloigne de l'abstraction et se souvient de la peinture, quand il abandonne ses froides cosmogonies pour descendre sur la terre des hommes. Il est l'auteur de compositions magnifiques dont les motifs paraissent empruntés aux emblèmes aztèques, aux tissus incassiques [sic] et même aux idéogrammes égyptiens. Ses aquarelles surtout ont une grande richesse décorative. Mais les thèmes créés par son imagination sont trop rarement soumis à une volonté organisatrice, insuffisamment hiérarchisés selon les exigences finales de l'œuvre, qui semble arrêtée ainsi dans son accomplissement [...]»

Deux choses à retenir dans cette critique: une positive, le rapport avec la musique; l'autre négative, les compositions aztèques, incas, égyptiennes. Ces dernières ne répondaient plus à une nécessité intérieure, et l'on se souvient au Bauhaus de son attitude vis-à-vis d'un élève qui avait traité des sujets japonisants. Donc, ces références à un art, folklorique, pourrait-on dire, dans le bon sens du terme sont une condamnation. Nina Kandinsky elle-même dans l'appendice de son livre écrit: «Les peintres abstraits ne considèrent pas la nature comme un objet d'approche directe. Elle n'offre pas le moindre modèle, comme disait Kandinsky. Cela implique la tâche de l'artiste, car il ne peut s'appuyer que sur sa seule imagination et sa seule force créatrice. La première condition posée par la peinture abstraite est un niveau suffisant d'imagination et de force créatrice. Faute de quoi, on aboutit la plupart du temps à un art purement décoratif, mort et morne.»

En ce qui concerne la critique, même la plus honnête, Kandinsky fut, même après sa mort, maltraité ou incompris en France. Ne parlons pas de l'Allemagne nazie et de l'art dégénéré. Le 13 janvier 1945, dans *Les lettres françaises*, André Lhote relate les manifestations hostiles qui se déroulèrent lors de l'exposition de décembre 1944. Il déclare: «Je n'ai pas l'intention de défendre ici une esthétique qui n'a jamais eu mon adhésion. Aussi bien est-ce le drame de ce vieillard malade, insulté à la fin de sa vie, dans un pays qu'il aime pour sa générosité spirituelle, qui m'intéresse. Des jeunes gens sont venus en monôme protester contre cette peinture "barbare, incompréhensible et décadente" (car c'est toujours la terminologie nazie qui sert en pareil cas) et menacèrent de briser les glaces derrière lesquelles étaient exposées ses toiles énigmatiques [...] Cet événement regrettable a du moins l'avantage de mettre en lumière le problème de l'art transposé. Peu importe pour l'instant que les œuvres de Kandinsky soient entièrement "déshumanisées" ou non; les questions qui se posent à leur sujet sont celles-ci: l'artiste a-t-il le droit de s'exprimer à l'aide de signes purs, soit qu'ils proviennent de ce que Gleizes et Metzinger appelaient "l'effusion pure", soit que le peintre les arrache péniblement, à force de simplifications successives, à la grossière et toujours trop encombrée réalité? L'essentiel de l'art de peindre tient-il dans l'imitation de l'objet, dans le trompe-l'œil ou bien dans les signes inventés qui en donnent un équivalent plastique? Enfin, peut-on refuser au peintre le privilège, qu'on accorde sans discussion au poète, de remplacer un objet ordinaire par un autre, plus rare et plus expressif?» Et de faire une brillante démonstration comparative entre Victor Hugo et sa «faucille d'or dans le champ des étoiles» et les signes de l'abstraction. Rarement l'art abstrait et en particulier l'art de Kandinsky fut plus brillamment défendu par un peintre figuratif qui prétend — ô ironie — ne pas adhérer à cette esthétique non figurative. Et de terminer en disant: «Il faut dix ans d'études pour apprendre à faire une addition, à lire le journal, à écrire une lettre, on conviendra sans peine que quelques mois d'entraînement seraient bien nécessaires pour initier le public aux mystères de la transposition plastique.» C'était mettre là en cause et à juste titre le manque d'information culturelle, et cela rejoignait la réponse de Picasso à quelqu'un qui lui disait ne pas "comprendre" une de ses toiles: «Comprenez-vous le chinois?» Comprendre? Est-ce bien là le but recherché? Même si une œuvre comme celle de Kandinsky est au départ d'essence intellectuelle dans la recherche de sa création, c'est à la sensibilité qu'elle s'adresse avant tout. C'est pourquoi, sans doute, le public ne comprit pas, habitué tout d'abord à des titres descriptifs.

Il y avait bien longtemps que Kandinsky ne titrait plus ses toiles que de façon abstraite. Il faut remonter à 1908 environ pour trouver des titres descriptifs. Étant avant tout de culture littéraire, la France attache de l'importance à l'énoncé. Aussi les *Improvisations, Compositions, Impressions* qui sont des termes de musicologie ne signifient, même encore aujourd'hui, pas grand-chose pour un public pour qui *Coucher de soleil sur l'Adriatique* est une indication tangible même s'il s'agit comme on le sait d'un canular monté par le critique André Salmon et réalisé par un âne, Lolo, celui du père Frédé de la Butte Montmartre.

C'est alors que l'on revient à la part positive de la critique déjà citée: «De la brutale rencontre d'une courbe et d'une horizontale semble naître un son unique et pur, sans harmoniques», et surtout au texte de Christian Zervos dans les *Cahiers d'art* de 1928: «Les aquarelles de Kandinsky me font croire que l'œuvre de cet artiste n'est pas sans rapport avec la musique. Je ne saurais expliquer pourquoi plusieurs de ses aquarelles m'ont laissé l'impression d'une audition musicale, mais il est incontestable que les rapports des formes et tout particulièrement les rapports des tons rappellent à chaque instant une musique tout en lyrismes contenus et disciplinés.» Or, en conclusion de *Du spirituel dans l'art*, Kandinsky, entraîné par un souci de classement obsessionnel, s'est créé une hiérarchie particulière pour ranger ses peintures à venir. Il emprunte des termes de musicologie et répartit ses toiles en *Impressions, Improvisations, Compositions.*

Il n'y eut que les surréalistes pour rejeter la musique de leurs préoccupations. Les divers mouvements d'art de la première moitié du siècle tendaient au contraire à cette synthèse prônée entre autres par Kandinsky, surtout dans le monde de la culture germanique. On sait ses liens étroits avec Anton von Webern, Thomas von Hartmann et Arnold Schönberg qui s'était réconcilié avec lui après un froid dû à la malveillance d'Alma Mahler. Carola Giedon-Welcker, parlant du théoricien Kandinsky, écrit: «Il rappelle à tout instant que la musique a été son guide principal, dans la mesure où elle est méthode d'expression spirituelle.»

Kandinsky produisit des œuvres scéniques, notamment entre 1909 et 1913. Parmi ces œuvres il convient de citer *Sonorité jaune* et *Klänge. Sonorité jaune* fut traduit en français par Volboudt. Cet "opéra abstrait" ne fut jamais monté du vivant de son auteur. Ce n'est qu'en 1975 qu'il fut présenté par Jacques Poliéri dans le cadre du Festival de musique de la Sainte-Baume. La musique est d'Alfred Schnittker, un compositeur soviétique né à Berlin.

L'année suivante eut lieu au Théâtre des Champs-Élysées une représentation de gala de l'unique composition scénique de Kandinsky enfin réalisée. Jacques Poliéri en tira un film sélectionné pour le Festival de Cannes en 1977 après sa première mondiale à la Cinémathèque française. Cette *Sonorité jaune* a été qualifiée par Thomas von Hartmann comme «l'entreprise la plus osée dans l'art scénique jusqu'à nos jours».

C'est André Malraux qui, quelques années auparavant, avait eu l'idée de monter cette œuvre à l'Opéra. Cela ne se fit pas; dès le début, comme le souligne Nina Kandinsky, *Sonorité jaune* était poursuivie par la malchance. Par bonheur aujourd'hui le film reste le document le plus important de cette activité de Kandinsky.

La gloire posthume de Kandinsky

Lorsqu'il meurt le 13 décembre 1944, Kandinsky est quasiment inconnu des Français. Certes, dans les pays de culture germanique il occupe, depuis longtemps, une place importante, et les collectionneurs américains ne l'ignorent pas. Ses expositions à Paris n'ont pas convaincu un public chauvin pour qui ce Russe-Allemand-Français reste un étranger pour ne pas dire un métèque. Un seul de ses tableaux est dans un musée. Kandinsky n'est d'ailleurs pas le seul dans ce cas: lorsque, au lendemain de la guerre, Jean Cassou est chargé d'organiser le Musée d'art moderne, il trouve surtout un grand vide et même Picasso, qui remue les médias depuis quarante ans, brille par son absence. À plus forte raison le discret Kandinsky. Aujourd'hui cela peut paraître aberrant: à peine un demi-siècle nous sépare de cet état de fait. C'est parce qu'on a oublié ce qu'étaient les "Beaux-Arts" de l'avant-guerre, le règne de Salons officiels dont la médiocrité fait frémir et la désuétude du Prix de Rome qui se couvrait de ridicule à force de répéter des *Concerts champêtres* à la Giorgione ou des *Serments des Horaces* néo-classiques.

Si aujourd'hui Kandinsky a la place qui lui est due en France et dans le monde — sauf en URSS où il n'y eut qu'une exposition alors qu'une fort belle collection dort dans les caves des musées —, c'est grâce à Nina Kandinsky. Jacques Lassaigne lui rend hommage en ces termes: «Depuis trente ans, Nina Kandinsky s'est employée inlassablement à diffuser le message et à divulguer l'œuvre de son mari. Des expositions dans le monde entier ont fait connaître ses peintures, aquarelles et dessins. Ses écrits ont été traduits en de nombreuses langues et publiés dans beaucoup de pays. Des projets conçus par lui ont été réalisés. Et pourtant l'importance de ce créateur-pionnier, déjà considérablement mise en lumière, nécessite encore et toujours de nouveaux efforts. Les traits inédits que les souvenirs de Nina Kandinsky ajoutent au portrait de son mari sont une preuve que l'amour est bien le meilleur moyen de la connaissance.»

Au lendemain de la guerre, la toute jeune et dynamique Galerie Maeght prit Kandinsky sous contrat. Cela devait durer jusqu'en 1971. Nina Kandinsky prétexta une vague histoire d'une somme d'ailleurs minime qu'elle n'arrivait pas à récupérer. Comme l'écrit Karl Flinker: «En vérité, elle ne supportait pas que Maeght s'occupât plus de Chagall que de Kandinsky.» De même qu'elle n'aimait pas Kahnweiler parce qu'il était le marchand de Picasso et que depuis 1933, lors de leur arrivée à Paris, Picasso les avait ignorés: «Picasso était sa bête noire». Elle connaissait Karl Flinker qui avait cessé son activité de marchand de tableaux. C'est lui qui l'empêcha de commettre une erreur en cédant les œuvres à un homme d'affaires qui devait se charger de les présenter dans une galerie. Sans doute croyait-elle bien faire, se trouvant, depuis le départ de chez Maeght, sans marchand et sans galerie. Karl Flinker sauva la situation en lui trouvant un contrat avec l'une des galeries les plus prestigieuses: Beyeler, à Bâle. Mais Nina voulait aussi une galerie à Paris, ce qui amena Karl Flinker à ouvrir sa galerie de la rue de Tournon. On ne peut qu'en savoir gré à Nina qui présida la grande exposition en 1972.

Pour l'heure, tout était rentré dans l'ordre, deux grands et vrais marchands — pas des "galéristes" — s'occupaient du grand créateur, inventeur de l'art abstrait. Restait la consécration officielle. Karl Flinker connaissait Georges Pompidou lorsqu'il était premier ministre et leurs relations continuèrent lorsqu'il devint président de la République. On sait l'énorme intérêt que le couple présidentiel portait à l'art contemporain. Cela surprenait d'autant plus que c'était bien la première fois — et hélas peut-être la dernière — que la présidence tentait de vivre "avec son temps" malgré les lambris Second-Empire des résidences officielles. C'était l'époque où le président étudiait les projets du Centre culturel consacré à l'art contemporain, qui porte son nom. Nina était devenue l'amie du couple présidentiel, fréquentait l'Élysée — ce qui la réjouissait fort —, et n'avait pas d'héritier. Bien qu'elle ait toujours soigneusement caché son âge, un jour viendrait où elle ne serait plus. Que deviendrait sa collection personnelle, fort importante? C'est alors que commença une longue campagne de persuasion afin qu'elle fît don à la France de cet ensemble inestimable. La démarche était d'autant plus difficile qu'il y avait un mot qu'on ne devait pas prononcer en sa présence: la mort.

Tout commença par le don de cinq gouaches préparatoires que Kandinsky avait réalisées en 1922 à Berlin en vue de peintures murales. Elle les offrit à condition qu'une salle du Centre Pompidou, alors en préfiguration, soit consacrée aux peintures murales qu'on exécuterait d'après ces documents. Pontus Hulten, nommé en 1973 directeur du Musée national d'art moderne, devait se joindre au groupe pour tenter de convaincre la veuve. La mort du président en 1974 ne fit que renforcer les liens d'amitié entre Nina et Mme Pompidou et, à l'inauguration du Centre en 1976, Nina fit don de quinze toiles et de quinze aquarelles. En 1978, ce fut l'exposition des toiles venues des musées soviétiques. La négociation avait été délicate et malgré son hostilité au régime soviétique elle légua trois toiles afin que les trente autres soient exposées en France.

C'est à cette époque que le groupe d'amis, conscient du temps qui passait, réussit à la convaincre de faire son testament. Elle désirait la création d'une Société Kandinsky dont elle serait présidente à vie, et garder son entière liberté d'action. Ainsi fut fait, et c'est Karl Flinker qui rédigea le testament. Peu de temps après, Nina Kandinsky fut assassinée. Mme Pompidou devint alors présidente de la Société Kandinsky et le patrimoine national se trouva enrichi d'une collection considérable des œuvres d'un peintre qui, né Russe, est mort Français. Paris devient donc le centre le plus important du monde possédant des œuvres de Kandinsky après New York, Munich et Düsseldorf. À noter que Nina avait fait également une donation au musée de Berne: les œuvres qui se trouvaient dans son chalet de Gstaad où elle mourut le 2 septembre 1980 dans des conditions tragiques.

L'importante exposition au Musée national d'art moderne en 1984-1985 a été le premier grand hommage rendu en France à Kandinsky. Le succès fut énorme. Est-ce à dire que Kandinsky est devenu un artiste à la mode, ou qu'il est entré de plain-pied dans le besoin de connaissance culturelle? Il semble impossible de répondre à ce genre de question qu'on est en droit de se poser. Car l'œuvre de Kandinsky est d'un accès difficile, il faut bien en convenir. Elle suscite des controverses chez les historiens d'art qui poussent parfois un peu loin leurs démonstrations. Ainsi Félix Thürlemann écrit: «Kandinsky peintre abstrait? Plus personne ne semble y croire. Pendant les dernières années, un nombre impressionnant d'études a été publié dont les auteurs se proposent tous de détecter, dans la production de la période munichoise surtout, les "sources" figuratives d'œuvres apparemment abstraites.»

Kandinsky est en effet déroutant, déconcertant. Il donne l'impression d'avoir réalisé une œuvre tout intellectuelle, alors qu'il ne cesse de se référer à la nature. Pour le profane, ses tableaux se ressemblent ou semblent issus d'un système qui, tout comme un jeu, consisterait à déplacer les divers éléments. Or on connaît ses opinions sur ces différents sujets. «Si un artiste ne cesse de se répéter, son art devient forcément décoratif, et même une chose mort-née. La peinture abstraite est de tous les arts le plus difficile. Il exige qu'on sache bien dessiner, qu'on ait une sensibilité aiguë pour la composition et pour les couleurs, et qu'on soit un vrai poète: c'est là l'essentiel.» «Si votre imagination n'est pas assez puissante pour développer des visions qui vous soient propres et qui, réduites à l'état d'idées, puissent se traduire en images, retournez donc à l'étude de la nature. La nature est assez forte pour vous stimuler et vous donner la possibilité de développer votre art.» Voilà ce qu'il disait à ses élèves. En ce qui concerne le spectateur, un mot est à retenir: «poète». L'œuvre de Kandinsky est éminemment poétique, et c'est ainsi qu'il faut l'aborder sans s'encombrer de théories.

Formes et couleurs sont là tout d'abord pour séduire, tout comme une œuvre musicale. De même qu'il n'est pas nécessaire de connaître le solfège pour apprécier affectivement un morceau de musique, de même l'approche première des œuvres de Kandinsky ne nécessite pas la connaissance des théories qui foisonnent dans l'histoire de l'art. Il ne s'agit pas de "comprendre", au moins dans un premier temps, mais de "ressentir". L'aspect ludique de l'œuvre contribue à cette séduction, sans parler d'une fascination magique.

Jean Arp écrivit: «Par la poésie de Kandinsky, nous assistons au cycle éternel, au devenir et à la disparition, à la transformation de ce monde. Ses poèmes rendent manifestes l'absence, la nullité de la perception et de la raison.» Ses toiles sont des poèmes qui nous font souvenir qu'avant d'être russe, allemand ou français Kandinsky était par ses ascendances oriental, et qu'il avait gardé au fond de lui toute la magie poétique de l'Orient fabuleux.

Biographie

1866. Wassily Kandinsky est né à Moscou le 4 décembre (22 novembre de l'ancien calendrier russe). Sa famille paternelle, originaire de Sibérie occidentale, partit s'établir à Kjachta (frontière chinoise), ville natale de son père. Une de ses arrière-grand-mères était une princesse asiatique. Sa famille maternelle était de Moscou. Sa mère, née Lydia Tikheeva, était une pure Moscovite.

1869. Voyage avec ses parents en Italie: Venise, Rome et Florence. Sa première école fut le jardin d'enfants de Florence.

1871. Quitte Moscou avec ses parents pour habiter Odessa.

1874. Son éducation musicale commence: piano, plus tard violoncelle.

1876. Commence au lycée des études qui dureront neuf ans. Pendant ses vacances, il voyage à Moscou, au Caucase, en Crimée et à bord de bateaux sur les rivières Belaja et Kama.

1886. Étudie à l'université de Moscou le droit et l'économie politique. La beauté mystique de Moscou et les anciennes icônes russes l'impressionnent profondément: c'est là qu'il faut chercher la racine de son art, comme il aimait à le dire.

1889. L'université de Moscou l'envoie en mission ethnographique dans le nord de la Russie, à Vologda. La richesse du folklore de l'ancienne Russie l'influence vivement. À cette époque, il voit les tableaux de Rembrandt à Saint-Pétersbourg, il en gardera des traces indubitables. Il accomplit ensuite son premier voyage à Paris et revient à Moscou très ému.

1892. Diplômé de l'Université, retourne à Paris. Mariage avec sa cousine Ania Tchimiakin.

1893. Reçu à l'agrégation de droit à l'université de Moscou.

1895. Directeur artistique de l'imprimerie Kouchverev à Moscou. Kandinsky voit pour la première fois une exposition des impressionnistes français. Devant le tableau de Monet *Meule de foin*, il se pose la question: «Le peintre n'a-t-il pas le droit d'aller plus loin et d'abandonner la nature et l'objet?»

1896. Appelé à l'université de Dorpat (Estonie), au lieu d'y accepter le professorat, il abandonne sa carrière juridique si brillamment commencée et se rend à Munich pour étudier la peinture.

1897. À Munich, il travaille à l'école d'Azbé pendant deux ans et y rencontre Jawlensky.

1899. Travaille seul, plus particulièrement le dessin.

1900. Entre à l'Académie royale de Munich, classe du professeur Franz von Stuck. En fin d'année, diplômé de l'Académie.

1901. Etudie la technique picturale. Sa carrière de peintre commence. Expose à la Phalanx de Munich.

1902. Membre de la Secession de Berlin, prend part à leur exposition, devient président de Phalanx, ouvre son école de peinture à Munich, grave ses premiers bois en couleurs (presse à main). En automne, voyage en Hollande puis séjour à Paris. Entre en relations avec Gabriele Münter.

1903. Voyage en Italie. Kandinsky s'installe à Rapallo où il reste plus d'un an. Ses expositions individuelles commencent, la première à l'Union des artistes de Moscou.

1904. Jusqu'à l'automne, il séjourne à Rapallo, expose à la Phalanx, à Odessa et à Paris: Salon d'automne et Exposition nationale des Beaux-Arts. Médaillé de l'Exposition internationale de Paris. Expositions individuelles à Varsovie (Krywult) et Cracovie. Premier album de gravures sur bois, *Poésies sans paroles*, aux éditions Stroganov de Moscou. Voyage à Tunis (décembre 1904-avril 1905).

1905. Habite Dresde, expose au Salon d'automne, à la XIIe Exposition du travail à Paris, où il reçoit une médaille et un diplôme d'honneur, à Berlin (Künstlerbund) et à Cologne.

1906. Départ, au printemps, pour Paris. Habitera un an à Sèvres. Y devient membre du Salon d'automne et des Indépendants: Grand prix de l'Exposition internationale de Paris. Exposition au Musée de Krefeld et à Francfort-sur-le-Main (Bad. Kunstverein). Les éditions Tendances nouvelles publient à Paris *Xylographies*, cinq bois gravés en noir et blanc, puis dix bois gravés en noir et blanc dans la revue *Tendances nouvelles*.

1907. De Sèvres, il part pour Berlin où il reste quelques mois, expose aux Indépendants de Paris, à Dresde (*Die Brücke*) et réalise plusieurs gravures sur linoléum (presse à main).

1908. De Berlin, il retourne à Munich pour six ans. Sa peinture exprime déjà les formes abstraites (lignes, taches de couleur, etc...). Les paysages restent seulement comme thème, souvent invisibles. Exposition à Dresde (Arnold Galerie).

1909. Écrit trois pièces de théâtre: *Sonorité jaune, Résonance verte* et *Noir et blanc*. Élu président de la *Neue Künstlervereinigung* (Nouvelle association d'artistes) de Munich, il participe à l'Exposition de Hagen i/W.

1910. Rencontre de Franz Marc. Leur amitié féconde commence. Les premières œuvres de Kandinsky complétement dégagées de la représentation de la nature sont d'abord dites "abstraites" (plus tard il les nommera "concrètes"). Il peint sa *Composition I* et achève son premier livre: *Über das Geistige in der Kunst* (Du spirituel dans l'art), qui exprime sa philosophie esthétique. Ce livre est le résultat du travail de plusieurs années. Exposition à Berlin (Sturm) et à Hambourg (Bock und Sohn).

1911. Rencontre Macke, puis Paul Klee. Arp visite son atelier. Kandinsky parle avec Franz Marc de son idée de présenter sous forme de livre-almanach: art classique, art contemporain, art ethnographique, dessins d'enfants et de fous, danse, musique et théâtre. Franz Marc s'enthousiasme et tous deux, en juillet, commencent à réaliser ce projet.

Cet almanach est intitulé *Der Blaue Reiter*, d'après le titre d'un tableau de Kandinsky, *Le cavalier bleu*. Il écrit sa quatrième pièce de théâtre, *Violet*. Piper édite en décembre *Über das Geistige in der Kunst* à Munich. Première exposition *Der Blaue Reiter* à Munich chez Tannhauser en décembre. Divorce d'Ania Tchimiakin.

1912. Trois éditions d'*Über das Geistige in der Kunst* se succèdent et le chapitre sur la question des formes est traduit en Russie. Piper édite *Der Blaue Reiter* à Munich. Les compositeurs Arnold Schönberg, Thomas von Hartmann, Anton von Webern et Alban Berg, ainsi que le danseur Alexandre Sakharoff, collaborent à cet almanach. Le grand succès de ces deux livres provoque une révolution dans le milieu des artistes et des intellectuels. Édition spéciale de *Gelber Klang* (Sonorité jaune) chez Piper. Deuxième exposition *Der Blaue Reiter* (œuvres graphiques seulement) chez Hans Goltz à Munich. Première exposition rétrospective de Kandinsky à Munich, Galerie Hans Goltz (73 tableaux). Il participe à l'exposition "Moderner Bund" au Kunsthaus de Zurich et expose au Musée de Barmen et à Berlin (*Der Sturm*).

1913. Piper édite *Klänge* (Sonorités), 38 poèmes et 56 gravures sur bois (en couleurs et en noir et blanc), 300 exemplaires de luxe. *Rückblicke* (Regards sur le passé), où Kandinsky analyse son évolution artistique, est publié aux éditions *Der Sturm* (75 reproductions en noir et blanc). Expose à Amsterdam et au Salon d'automne de Berlin (*Der Sturm*).

1914. Au début de l'année, expose à Cologne, Munich et Dresde.

À la déclaration de guerre, Kandinsky se retire en Suisse d'août à novembre, à Rorschach, puis à Goldbach, et en suite retourne en Russie *via* l'Italie et les Balkans.

De 1896 à 1914 il passa presque tous les ans plusieurs semaines en Russie.

Quatre panneaux (peinture murale) pour New York. Sadler traduit en anglais *Über das Geistige in der Kunst* (The Art of Spiritual Harmonie), publié chez Constable and C°, Londres et Boston (deux éditions).

1915. Habite Moscou, puis part pour Stockholm (décembre 1915).

1916. Expose à La Haye et à Stockholm, puis retourne à Moscou où il rencontrera Nina Andreievskaïa, originaire de cette ville. Se sépare de Gabriele Münter.

1917. Epouse Nina Andreievskaïa. Voyage en Finlande. Expose à Helsingfors et Saint-Petersbourg.

1918. Membre du Département des Beaux-Arts du Commissariat à l'instruction publique, puis professeur aux Ateliers d'art libre de Moscou. Traduit *Rückblicke* en russe (Stoupeni), édité par le Commissariat à l'instruction publique de Moscou.

1919. Directeur du Musée de culture picturale. 22 musées sont organisés en URSS sous sa direction. Crée l'Institut de culture artistique. Il rencontre alors Pevsner, Gabo et Chagall.

1920. Professeur à l'université de Moscou. Son exposition individuelle à Moscou est organisée par l'État.

1921. Fonde l'Académie de la science générale de l'art dont il est élu vice-président. Fin décembre, Kandinsky et sa femme quittent légalement Moscou et arrivent à Berlin.

1922. Au mois de juin, nommé professeur au Bauhaus de Weimar; il en devient le vice-directeur, fait des conférences sur les éléments fondamentaux de la forme, donne un cours sur les couleurs, dirige des travaux pratiques ainsi que l'atelier de peinture murale. Exécute une peinture murale pour la salle de réception de la Juryefreie de Berlin.

Exposition individuelle à la Galerie Goldschmidt et Wallerstein de Berlin. Édition de *Kleine Welten* («Petits mondes»), 4 gravures sur bois (2 en noir et blanc, 2 en couleurs), 4 eaux-fortes (pointes-sèches), 4 lithographies en couleurs (éd. Propylaën) tirage de luxe et éd. courante.

Exposition à Munich chez Hans Holz et à Stockholm (Gummesson).

1923. Écrit *Über die abstrakte Bühnensynthese* (Sur la synthèse scénique abstraite), *Die Grundelemente der Form* (Les éléments fondamentaux de la forme), et *Farbkurs und Seminar* (Cours et séminaire sur la couleur), pour la revue *Bauhaus*. Exposition à New York (Société Anonyme), au musée de Hanovre et à Weimar. Élu vice-président de la Société Anonyme de New York.

1924. Kandinsky, Klee, Feininger et Jawlensky forment le groupe *Die Blauen Vier* (Les quatre bleus). Exposition à Dresde (Neue Kunst Fides) et au musée de Wiesbaden.

1925. Quitte Weimar et se rend à Dessau où s'installe le Bauhaus. Y crée la classe de peinture libre, continue ses conférences et dirige les travaux pratiques: couleurs et dessin. Il écrit *Punkt und Linie zu Fläche* (Point-ligne-plan). Exposition à Erfurt (musée), Iéna (Kunstverein) et Barmen (musée).

1926. Tandis qu'Albert Langen édite *Punkt und Linie zu Fläche* à Munich, quatre grandes expositions marquent son soixantième anniversaire: Dresde (Gutbier), Berlin (Nierendorf), Braunschweig, Dessau (Kunstverein).

1927. Voyage l'été en Autriche, l'hiver en Suisse. Expositions à Mannheim (musée), Munich (H. Golz), Amsterdam (musée), La Haye, Zurich (Kunsthaus) et Plauen.

1928. Voyage en France et en Suisse, devient membre du *Künstlerbund Deutschlands,* met en scène (décors et costumes) *Tableaux d'une exposition* de Moussorgsky au Friedrich-Theater de Dessau. Deuxième édition de *Punkt und Linie zu Fläche*. Expositions à Francfort-sur-le-Main (Kunstverein), Bâle (Kunstverein), Bruxelles (Galerie Époque), Stuttgart, Krefeld (musée), Dresde (Neue Kunst Fides), Erfurt (Angermuseum), Berlin (Galerie F. Moller).

1929. Voyage en Belgique où il rencontre Ensor, en France et en Espagne du Nord. Marcel Duchamp et Katherine Dreier viennent le voir à Dessau. Première exposition individuelle à Paris: aquarelles et gouaches (Galerie Zak). Médaille d'or et Prix d'honneur à l'Exposition du Künstlerbund à Cologne. Expositions à Breslau, Nuremberg (Nordische Halle), La Haye (de Bron), Anvers (Art contemporain), Bruxelles (Le Centaure), Bâle (Kunstmuseum), Halle Saale (Staatliche Galerie Moritzburg).

1930. Séjour à Paris et voyage en Italie. Expositions à Paris (Galerie de France), Saarebruck (musée), Krefeld (musée), Düsseldorf (Flechtheim), Chemnitz (musée), Kiel (Kunsthalle), Hollywood et San Francisco.

1931. Voyage en Égypte, Palestine, Syrie, Turquie, Grèce, Italie et France. Exécute une peinture murale pour l'Exposition internationale d'architecture de Berlin; écrit *Réflexions sur l'art abstrait* pour les *Cahiers d'art* de Paris. Exposition à Berlin (Flechtheim), Zurich (Kunsthaus) et Mexico.

1932. Voyage l'été en Yougoslavie. En automne, le Bauhaus est fermé par ordre du gouvernement nazi. Kandinsky quitte alors Dessau pour Berlin où l'école continue comme école privée. Expositions à Berlin (Möller: dessins), Essen (musée), Saarebruck (musée), Stockholm (Gummeson), New York (Valentine Gallery) et Dresde (Neue Kunst Fides).

1933. Part définitivement pour Paris et habite Neuilly-sur-Seine. Exposition à Hollywood.

1934. Rencontre Magnelli, Miró, Mondrian et Delaunay. Expositions individuelles à Paris (Cahiers d'art), Stockholm (Gummeson) et Milan (aquarelles et dessins, Galleria del Milione).

1935. Se lie d'amitié avec Pevsner, Arp et Magnelli, écrit pour les *Cahiers d'art, Toile vide,* et *L'art d'aujourd'hui est plus vivant que jamais.* Expositions à Paris (Cahiers d'art), San Francisco (musée) et New York (Galerie J. B. Neumann).

1936. Visite Gênes, Pise et Florence et écrit pour les *Cahiers d'art* ses souvenirs sur Franz Marc. Expositions à Paris (Galerie Jeanne Bucher), New York (Galerie Karl Nierendorf) et Los Angeles (Galerie Stendhal).

1937. Tandis qu'il voyage en Suisse, 57 de ses œuvres sont confisquées et qualifiées de "dégénérées" par le gouvernement nazi qui les vend à l'étranger. Exécute deux lithographies en couleurs pour *Verve*, participe avec 5 grands tableaux à l'Exposition internationale du Jeu de Paume ("De Cézanne à nos jours"). Exposition rétrospective à Berne (Kunsthalle).

1938. Exposition à Londres (Galerie Guggenheim jeune). Publie dans la revue *XXe siècle* les articles *Art concret* (mars), *Mes gravures sur bois* (juillet-septembre) et *La valeur d'une œuvre concrète.*

1939. Peint sa *Composition* (la dernière de la série). Expositions à Paris (Galerie Jeanne Bucher) et à New York (Galerie Karl Nierendorf).

1940. Pendant l'exode, reste deux mois à Cauterets (Hautes-Pyrénées). G. A. Colonna di Cesaro traduit *Über das Geistige in der Kunst* en italien (Della spiritualità nell'Arte) pour l'éditeur Di Religio de Rome.

1941. Invité deux fois par les États-Unis d'Amérique, il refuse de quitter la France.

1942. Exposition clandestine à la Galerie Jeanne Bucher: tableaux, aquarelles et gouaches.

1943. Exécute un pochoir pour l'album *Kandinsky* édité à Amsterdam chez Duwaër en 1946 et des dessins en couleurs pour des étoffes décoratives commandées par la maison La lis de Paris.

1944. Kandinsky travaille à un ballet (décor et costumes) qu'il désire réaliser avec son ami le compositeur Thomas von Hartmann, mais le 13 décembre, il meurt à son domicile de Neuilly-sur-Seine.

Bibliographie

Écrits de Kandinsky

ÜBER DAS GEISTIGE IN DER KUNST (Du spirituel dans l'art), Munich: Piper, 1911 et 1912. Rééd. Berne: Benteli, 1952. Trad. anglaises: Londres/Boston: Constable, 1914; New York, 1946, 1947 et 1970. Trad. japonaises: Tokyo, 1924 et 1958. Trad. italiennes: Rome, 1940 et Bari, 1960. Trad. espagnole: Buenos Aires, 1956. Trad. suédoise: Stockholm, 1970. Trad. françaises, Paris: Drouin, 1949; Paris: Éd. de Beaune, 1954 (3e éd., 1963); Paris: Denoël-Gonthier, 1969, 1971 et 1984.

DER BLAUE REITER (Almanach du Cavalier Bleu) édité par Kandinsky et Franz Marc, Munich: Piper, 1912; 2e édition augmentée, 1914; édition critique par Klaus Lankheit, 1965.

L'ALMANACH DU BLAUE REITER (première traduction française) Paris: Klincksieck, 1981.

KLÄNGE (Sonorités), poèmes en prose, Munich: Piper, 1913.

RÜCKBLIKE (Regards sur le passé), Berlin: Der Sturm, 1913. Rééd. Baden-Baden: Klein, 1955. Éd. en russe: Moscou, 1918. Trad. anglaise: New York, Museum of Non Objective Painting, 1945. Trad. françaises, Paris: Drouin, 1946; Paris: Hermann, 1974. Trad. italienne, Venise: Ed. del Cavallino, 1962.

PUNKT UND LINIE ZU FLÄCHE (Point-Ligne-Plan), Munich: Langen, 1926; Berne: Benteli, 1955 et 1959. Trad. anglaise: New York, 1947. Trad. française, Paris: Denoël, 1970 et 1972.

BAUHAUS-ZEITSCHRIFT FÜR GESTALTUNG, Hilbers-eimer: Kandinsky-Albers, 1926-1931.

ESSAYS ÜBER KUNST UND KÜNSTLER (écrits de 1912 à 1943) édités et commentés par Max Bill, Stuttgart: Hatje, 1955. (2e éd., Berne: Benteli, 1963).

ÉCRITS COMPLETS, édition établie et présentée par Philippe Sers, Paris: Denoël-Gonthier, Paris, 1970 (tome II).

REGARDS SUR LE PASSÉ ET AUTRES TEXTES. 1912-1922. Édition établie et présentée par Jean-Paul Bouillon, Paris: Hermann, 1974.

Œuvres de théâtre de Kandinsky

"Sonorité Verte", inédit, 1909.
"Noir et blanc", inédit, 1909.
"Violet", inédit, 1911 (fragments dans *Bauhaus*, 3, 1927).
"Sonorité Jaune", *Der Blaue Reiter* (Munich), 1912.

Ouvrages illustrés par Kandinsky

Poèmes sans paroles (bois gravés), Moscou, 1904.
Xylographies (bois gravés), Paris: Tendances nouvelles, 1906.
Klänge (55 bois gravés), Munich, 1913.
Kleine Welten (12 lithographies et bois gravés), Berlin: Propylaën, 1922.
Le marteau sans maître, de René Char, Paris: Éd. Surréalistes, 1934.
La main passe, de Tristan Tzara, Paris: G.L.M., 1935.

Ouvrages essentiels sur Kandinsky

Will GROHMANN, *Kandinsky*, Paris: Cahiers d'art, 1930.
Max BILL, *Zehn Farbenlichtdrucke nach Aquarellen und Gouachen*, Bâle: Holbein, 1949.
Kenneth C. LINDSAY, *An Examination of the Fundamental Theories of Wassily Kandinsky*, Madison: University of Wisconsin, 1951 (Thèse inédite).
Will GROHMANN, *Vassily Kandinsky, sa vie, son oeuvre*, Cologne: Du Mont-Schauberg, 1958. (Éd. anglaise, New York: Abrams, éd. française, Paris, Flammarion, éd. italienne Milan: Il Saggiatore)
Herbert READ, *Kandinsky*, Londres: Faber and Faber, 1959.
Jean CASSOU, *Interférences, aquarelles et dessins*, Paris: Delpire, 1960.
Pierre VOLBOUDT, *Kandinsky 1896-1921* et *1922-1944*, Paris: Hazan, 1963 (deux plaquettes).
Jacques LASSAIGNE, *Kandinsky*, Genève: Skira, 1964.
Paul OVERY, *Kandinsky, the Language of the Eye*, Londres: Elek, 1969.
Hans-Konrad RÖTHEL, *Kandinsky, Das graphische Werk*, Cologne: Du Mont-Schauberg, 1970.
XXe siècle, numéro spécial consacré à Kandinsky, 1974; réédité en 1984 (Paris: Hazan).
Nina KANDINSKY, *Kandinsky und Ich*, Munich: Kindlerverlag, 1977. Trad. française, Paris: Flammarion, 1978.
Michel CONIL-LACOSTE, *Kandinsky*, Paris: Flammarion, 1979.
KANDINSKY IN MUNICH, catalogue d'exposition, New-York: The Solomon R. Guggenheim Museum, 1982.
Hans K. ROETHEL et Jean K. BENJAMIN, *Catalogue raisonné de l'œuvre de Kandinsky*, Paris: Flinker, 1982 (tome I: 1900-1915; tome II: 1916-1944).

1. *Kochel. Cascade I.* 1900.
Huile sur carton entoilé, 32,4 × 23,5 cm.
Städtische Galerie, Munich.

1

2

3

2. Esquisse pour *Achtyrka. Automne.* 1901.
   Huile sur carton entoilé, 23,7 × 32,7 cm.
   Städtische Galerie, Munich.

3. *Munich. La Isar.* 1901.
   Huile sur carton entoilé, 32,5 × 23,6 cm.
   Städtische Galerie, Munich.

4. *Vieille ville II.* 1902.
   Huile sur toile, 52 × 78,5 cm.
   Musée national d'art moderne,
   Centre Georges Pompidou, Paris.

5. *L'adieu.* 1903.
   Gravure, 31,3 × 31,2 cm.
   Musée national d'art moderne,
   Centre Georges Pompidou, Paris.

4

5

6

7

6. *Amsterdam. Vue de la fenêtre.* 1904.
Huile sur carton, 24 × 33 cm.
The Solomon R. Guggenheim Museum, New York.

7. *Rotterdam.* 1904.
Huile sur carton entoilé, 23 × 31,7 cm.
Musée national d'art moderne,
Centre Georges Pompidou, Paris.

8. *Le cavalier bleu.* 1903.
Huile sur toile, 55 × 65 cm.
Collection particulière, Zurich.

8

9

10

9. *Portrait de Gabriele Münter.* 1905.
Huile sur toile, 45 × 45 cm.
Städtische Galerie, Munich.

10. *Rapallo, mer orageuse.* 1906.
Huile sur carton entoilé, 23 × 33 cm.
Musée national d'art moderne,
Centre Georges Pompidou, Paris.

11. *Couple à cheval.* 1906-1907.
Huile sur toile, 55 × 50,5 cm.
Städtische Galerie, Munich.

11

12. *Chant de la Volga.* 1906.
Tempera sur carton, 49 × 66 cm.
Musée national d'art moderne,
Centre Georges Pompidou, Paris.

13. *Arbres en fleur à Lana I.* 1908.
Huile sur toile sur bois, 17,8 × 25,9 cm.
Collection particulière, New York.

14. *Murnau. Obermarkt et montagnes.* 1908.
Huile sur carton, 33 × 41 cm.
Collection particulière, Allemagne.

12

13

14

15

16

15. *Riegsee. L'église du village.* 1908.
Huile sur carton, 33 × 45 cm.
Von der Heydt Museum, Wuppertal.

16. *Paysage à la tour.* 1908.
Huile sur carton, 74 × 98,5 cm.
Musée national d'art moderne,
Centre Georges Pompidou, Paris.

17. *Munich. Schwabing avec l'église Sainte-Ursule.* 1908.
Huile sur carton, 68,8 × 49 cm.
Städtische Galerie, Munich.

17

18. *La montagne bleue.* 1908-1909.
Huile sur toile, 106 × 96,6 cm.
The Solomon R. Guggenheim Museum, New York.

19. *Paysage d'hiver I.* 1909.
Huile sur carton, 71,5 × 97,5 cm.
Musée de l'Ermitage, Leningrad.

20. *Intérieur (ma salle à manger).* 1909.
Huile sur carton, 50 × 65 cm.
Städtische Galerie, Munich.

18

19

20

21

22

21. *Oriental.* 1909.
Huile sur carton, 69,5 × 96,5 cm.
Städtische Galerie, Munich.

22. *Montagne.* 1909.
Huile sur toile, 109 × 109 cm.
Städtische Galerie, Munich.

23. *Tableau avec archer.* 1909.
Huile sur toile, 177 × 147 cm.
The Museum of Modern Art, New York.

23

24

25

24. *Improvisation III.* 1909.
Huile sur toile, 94×130 cm.
Musée national d'art moderne,
Centre Georges Pompidou, Paris.

25. *Improvisation VI.* 1909.
Huile sur toile, 107×99,5 cm.
Städtische Galerie, Munich.

26. *Murnau. Vue avec voie ferrée et château.* 1909.
Huile sur carton, 36×49 cm.
Städtische Galerie, Munich.

27. Esquisse pour *Composition II.* 1910.
Huile sur toile, 97,5×131,2 cm.
The Solomon R. Guggenheim Museum, New York.

26

27

28. *Improvisation VII.* 1910.
Huile sur toile, 131 × 97 cm.
Galerie Tretiakov, Moscou.

29. *Improvisation XI.* 1910.
Huile sur toile, 97,5 × 106,5 cm.
Musée Russe, Leningrad.

28

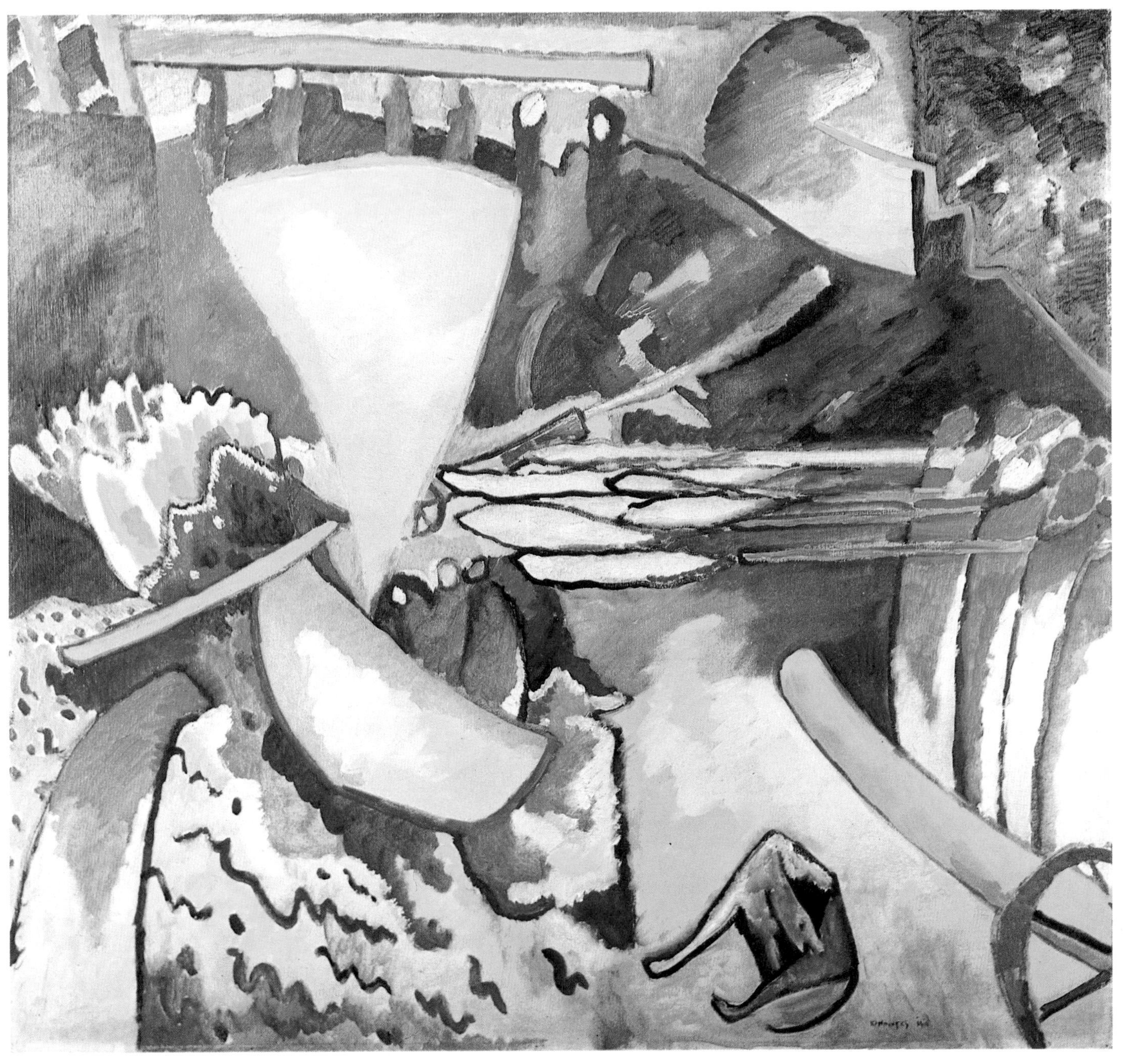

29

30

31

30. *Improvisation XIII.* 1910.
Huile sur toile, 120 × 140 cm.
Staatliche Kunsthalle, Karlsruhe.

31. *Improvisation XIV.* 1910.
Huile sur toile, 74 × 125,5 cm.
Musée national d'art moderne,
Centre Georges Pompidou, Paris.

32. *Promenade en barque.* 1910.
Huile sur toile, 98 × 105 cm.
Galerie Tretiakov, Moscou.

33. *Peinture sur verre avec soleil.* 1910.
Peinture à l'eau et encre de Chine sous verre, 30,6 × 40,3 cm.
Städtische Galerie, Munich.

34. *Murnau. Le jardin I.* 1910.
Huile sur toile, 66 × 82 cm.
Städtische Galerie, Munich.

35. Étude pour *Hiver II.* 1910-1911.
Huile sur carton, 33 × 44,7 cm.
Städtische Galerie, Munich.

33

34

35

36. *Improvisation XVIII (avec pierres tombales).* 1911.
Huile sur toile, 141 × 120 cm.
Städtische Galerie, Munich.

37. *Composition IV.* 1911.
Huile sur toile, 159,5 × 250,5 cm.
Kunstsammlung Nordrhein-Westfalen, Düsseldorf.

38. *Improvisation XIX.* 1911.
Huile sur toile, 120 × 141,5 cm.
Städtische Galerie, Munich.

36

37

38

39

40

39. *La Toussaint I.* 1911.
Huile sur carton, 50 × 64,5 cm.
Städtische Galerie, Munich.

40. *La Toussaint I.* 1911.
Peinture à l'eau et encre de Chine sous verre, 34,5 × 40,5 cm.
Städtische Galerie, Munich.

41. *Impression V (Parc).* 1911.
Huile sur toile, 106 × 157,5 cm.
Musée national d'art moderne, Centre Georges Pompidou, Paris.

42. *Arabes III (à la cruche).* 1911.
Huile sur toile, 106 × 158 cm.
State Picture Gallery of Armenia, Erivan, U.R.S.S.

41

42

43. *St Georg II.* 1911.
Huile sur toile, 107 × 96 cm.
Musée Russe, Leningrad.

44. *Déluge I.* 1912.
Huile sur toile, 100 × 105 cm.
Kaiser Wilhelm Museum, Krefeld.

45. *Avec l'arc noir.* 1912.
Huile sur toile, 189 × 198 cm.
Musée national d'art moderne,
Centre Georges Pompidou, Paris.

43

44

45

46. *Improvisation XXVI (En ramant).* 1912.
Huile sur toile, 97 × 107,5 cm.
Städtische Galerie, Munich.

47. *Improvisation XXVIII (deuxième version).* 1912.
Huile sur toile, 113 × 158 cm.
The Solomon R. Guggenheim Museum, New York.

46

47

48. *Automne II.* 1912.
Huile sur toile, 60 × 82 cm.
The Phillips Collection, Washington, D.C.

49. Esquisse pour *Déluge II.* 1912.
Huile sur toile, 95 × 107,5 cm.
Collection Harold Diamont, New York.

48

49

50. *Dame à Moscou.* 1912.
Huile sur toile, 108,8 × 108,8 cm.
Städtische Galerie, Munich.

51. *Paysage aux taches rouges I.* 1913.
Huile sur toile, 78 × 100 cm.
Museum Folkwang, Essen.

51

52. *Jugement dernier*. 1912.
Peinture à l'eau et encre de Chine sous verre, 33,6 × 45,3 cm.
Musée national d'art moderne,
Centre Georges Pompidou, Paris.

53. *Improvisation (Déluge)*. 1913.
Huile sur toile, 95 × 150 cm.
Städtische Galerie, Munich.

54. *Improvisation XXXI (Bataille navale)*. 1913.
Huile sur toile, 140 × 120 cm.
National Gallery of Art, Washington, D.C.

52

53

55. *Peinture à la forme blanche.* 1913.
Huile sur toile, 120,3 × 139,6 cm.
The Solomon R. Guggenheim Museum, New York.

56. *Improvisation XXXIII (Orient I).* 1913.
Huile sur toile, 88 × 100 cm.
Stedelijk Museum, Amsterdam.

57. *Peinture au bord blanc (Moscou).* 1913.
Huile sur toile, 140,3 × 200,3 cm.
The Solomon R. Guggenheim Museum, New York.

55

56

57

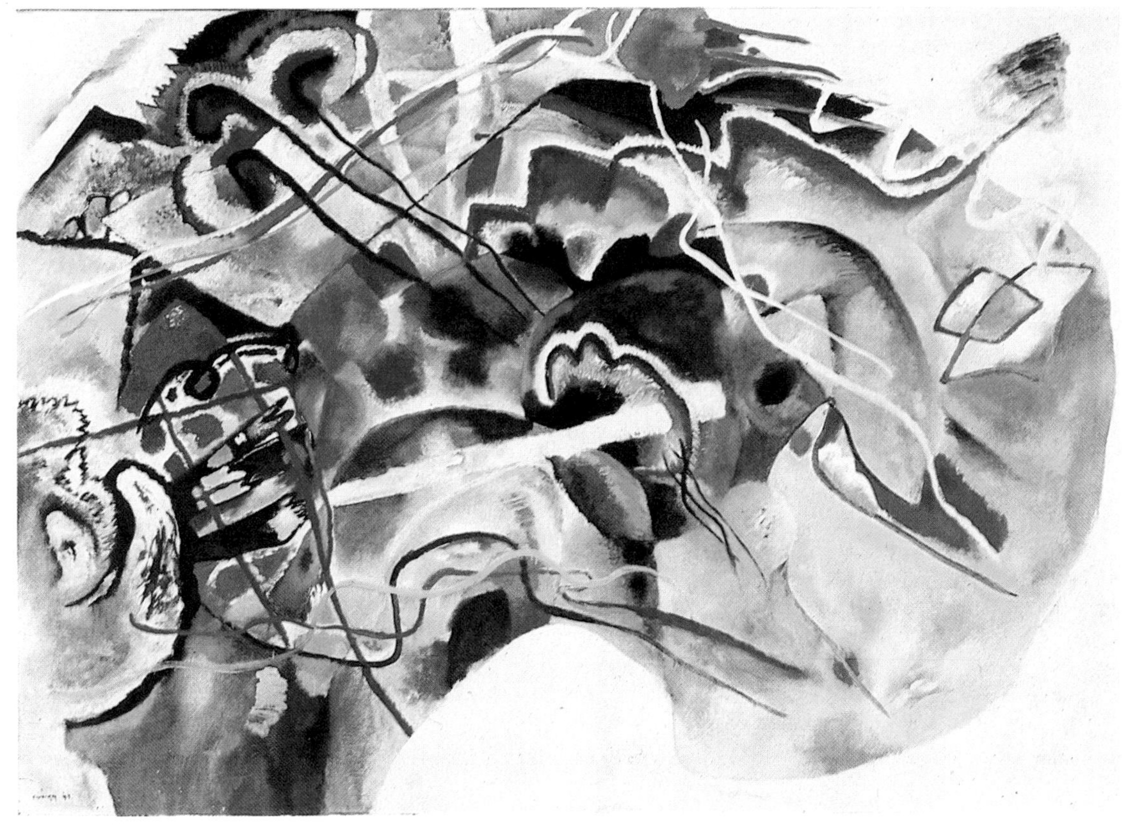

58. *Petites joies.* 1913.
Huile sur toile, 109,8 × 119,7 cm.
The Solomon R. Guggenheim Museum, New York.

59. *Improvisation rêveuse.* 1913.
Huile sur toile, 130 × 130 cm.
Staatsgalerie Moderner Kunst, Munich.

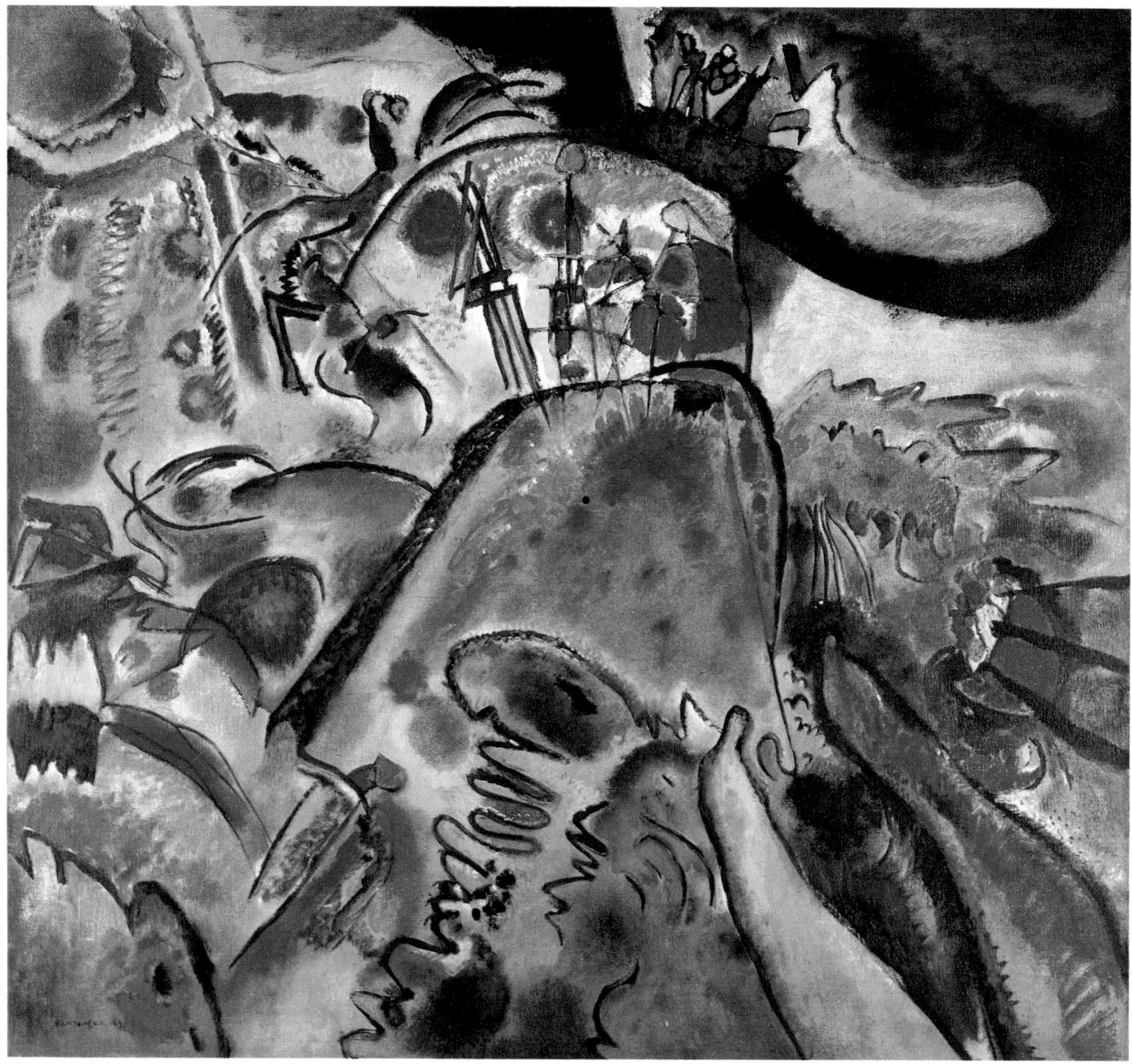

58

59

60. *Traits noirs I.* 1913.
Huile sur toile, 129,4 × 131,1 cm.
The Solomon R. Guggenheim Museum, New York.

61. *Composition VI.* 1913.
Huile sur toile, 195 × 300 cm.
Musée de l'Ermitage, Leningrad.

62. *Tableau à la tache rouge.* 1914.
Huile sur toile, 130 × 130 cm.
Musée national d'art moderne,
Centre Georges Pompidou, Paris.

60

61

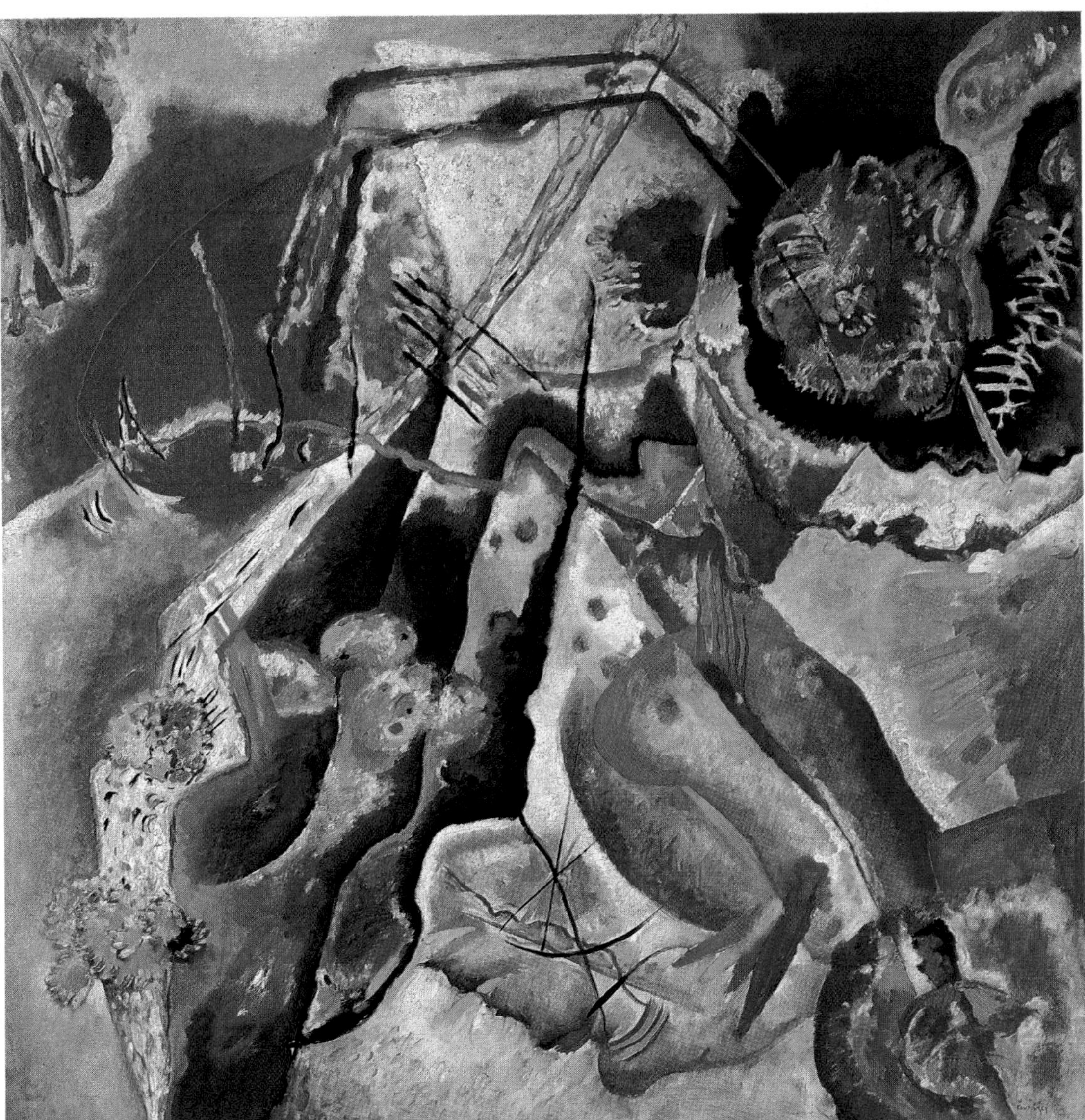
62

63. *Panneau pour Edwin R. Campbell, nº 1.* 1914.
Huile sur toile, 162,5 × 80 cm.
The Museum of Modern Art, New York.

64. *Panneau pour Edwin R. Campbell, nº 2.* 1914.
Huile sur toile, 162,4 × 122,3 cm.
The Museum of Modern Art, New York.

64

65. *Panneau pour Edwin R. Campbell, n° 3.* 1914.
Huile sur toile, 162,5 × 92,1 cm.
The Museum of Modern Art, New York.

66. *Improvisation Klamm.* 1914.
Huile sur toile, 110 × 110 cm.
Städtische Galerie, Munich.

66

67. *Improvisation sans titre IV*. 1914.
Huile sur toile, 124,5 × 73,5 cm.
Städtische Galerie, Munich.

68. *Tableau sur fond clair*. 1916.
Huile sur toile, 100 × 78 cm.
Musée national d'art moderne,
Centre Georges Pompidou, Paris.

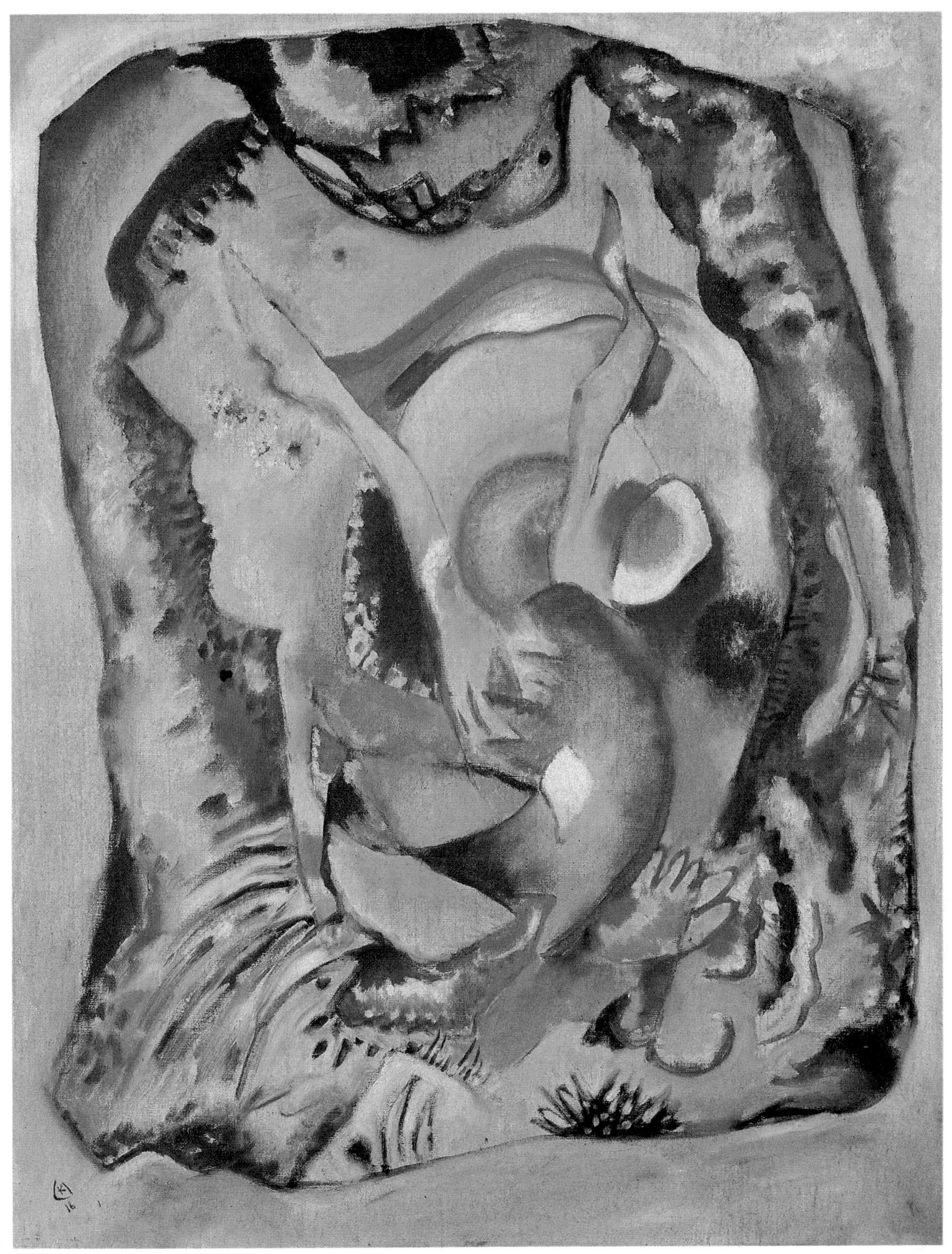

69. *Moscou II.* 1916.
Huile sur toile, 52 × 36 cm.
Collection Mr. et Mrs. Werner Krisp, Murnau.

70. *Moscou. Place Zubovsky III. c.* 1916.
Huile sur toile, 34 × 32 cm.

71

72

71. *Crépuscule.* 1917.
Huile sur toile, 92 × 70 cm.
Musée Russe, Leningrad.

72. *Achtyrka. L'écluse en automne.* 1917.
Huile sur panneau, 19,2 × 30,8 cm.
Musée Russe, Leningrad.

73. *Dames en crinoline. c.* 1918.
Peinture à l'eau et encre de Chine sous verre, 25,1 × 40,8 cm.
Galerie Tretiakov, Moscou.

74. *Dans le gris.* 1919.
Huile sur toile, 129 × 176 cm.
Musée national d'art moderne, Centre Georges Pompidou, Paris.

73

74

75. *Trait blanc.* 1920.
Huile sur toile, 98 × 80 cm.
Ludwig Museum, Cologne.

76. *Ovale rouge.* 1920.
Huile sur toile, 71,5 × 71,2 cm.
The Solomon R. Guggenheim Museum, New York.

77

77. *Segment bleu.* 1921.
Huile sur toile, 120 × 140 cm.
The Solomon R. Guggenheim Museum, New York.

78. *Centre blanc.* 1921.
Huile sur toile, 118,7 × 136,5 cm.
The Solomon R. Guggenheim Museum, New York.

79. *Maquette de panneau pour l'exposition de la Juryfreie.* 1922.
Gouache sur papier noir, 34,7 × 60 cm.
Musée national d'art moderne, Centre Georges Pompidou, Paris.

80. *Trame noire.* 1922.
Huile sur toile, 96 × 106 cm.
Musée national d'art moderne, Centre Georges Pompidou, Paris.

78

79

80

81. *Sur le blanc II.* 1923.
Huile sur toile, 105 × 98 cm.
Musée national d'art moderne,
Centre Georges Pompidou, Paris.

82. *Composition VIII.* 1923.
Huile sur toile, 140 × 201 cm.
The Solomon R. Guggenheim Museum, New York.

83. *Pointe jaune.* 1924.
Huile sur toile, 47 × 65,5 cm.
Kunsthalle Bern, Berne.

81

82

83

84. *Accompagnement noir.* 1924.
Huile sur toile, 166 × 134 cm.
Collection particulière, Suisse.

85. *Tension calme.* 1924.
Huile sur carton, 78,5 × 54,5 cm.
Collection particulière, Paris.

84

86. *Regard sur le passé.* 1924.
Huile sur toile, 98 × 95 cm.
Kunstmuseum, Berne.

87. *Jaune - Rouge - Bleu.* 1925.
Huile sur toile, 128 × 201,5 cm.
Musée national d'art moderne,
Centre Georges Pompidou, Paris.

88. *En bleu.* 1925.
Huile sur carton, 80 × 110 cm.
Kunstsammlung Nordrhein-Westfalen. Düsseldorf.

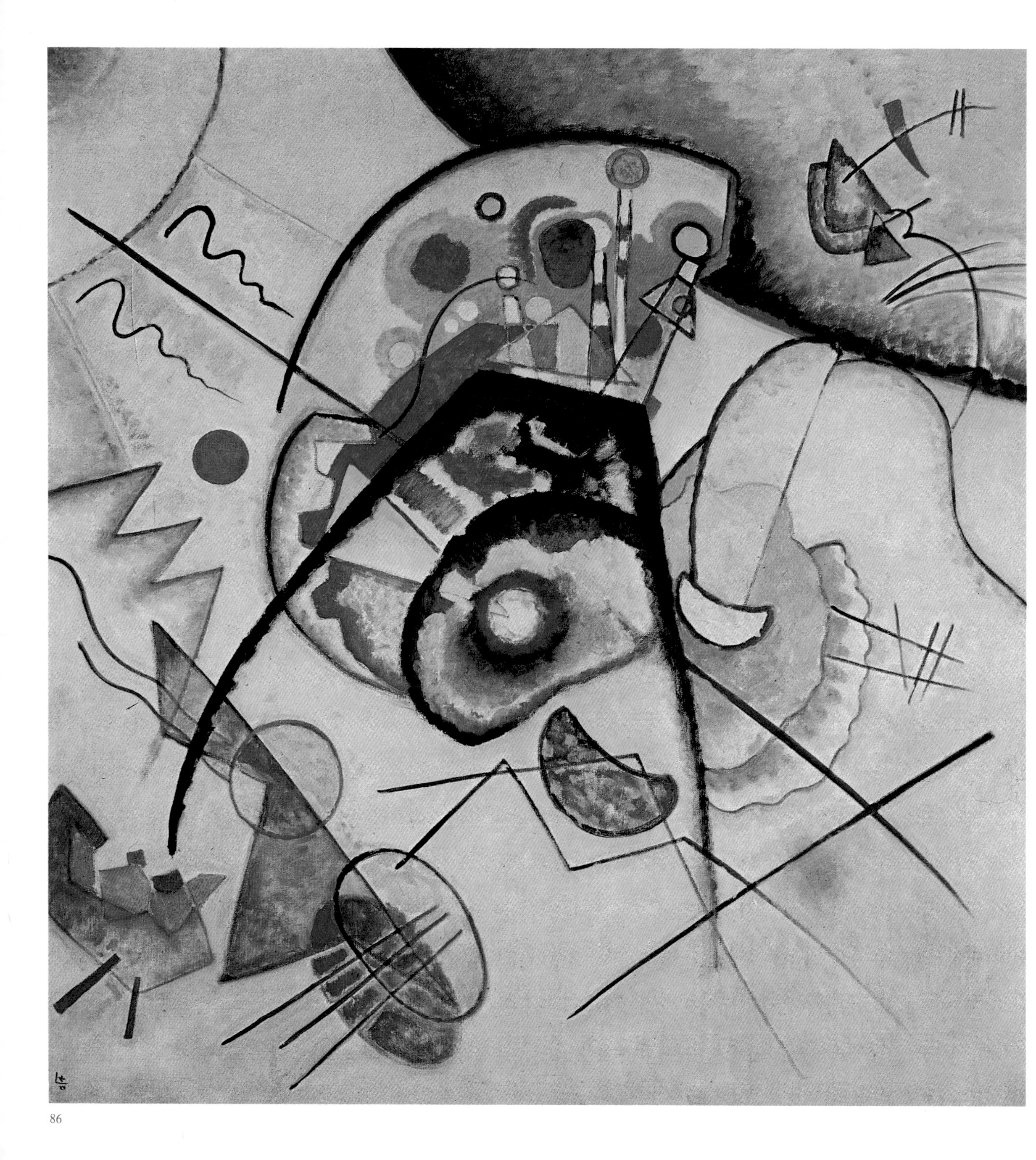

86

87

88

89

89. *Chuchoté.* 1925.
Huile sur carton, 29×27,5 cm.
Musée national d'art moderne,
Centre Georges Pompidou, Paris.

90. *Tension en rouge.* 1926.
Huile sur carton, 66×53,7 cm
The Solomon R. Guggenheim Museum, New York.

90

91. *Quelques cercles.* 1926.
Huile sur toile, 140 × 140 cm.
The Solomon R. Guggenheim Museum, New York.

92. *Accent en rose.* 1926.
Huile sur toile, 100,5 × 80,5 cm.
Musée national d'art moderne,
Centre Georges Pompidou, Paris.

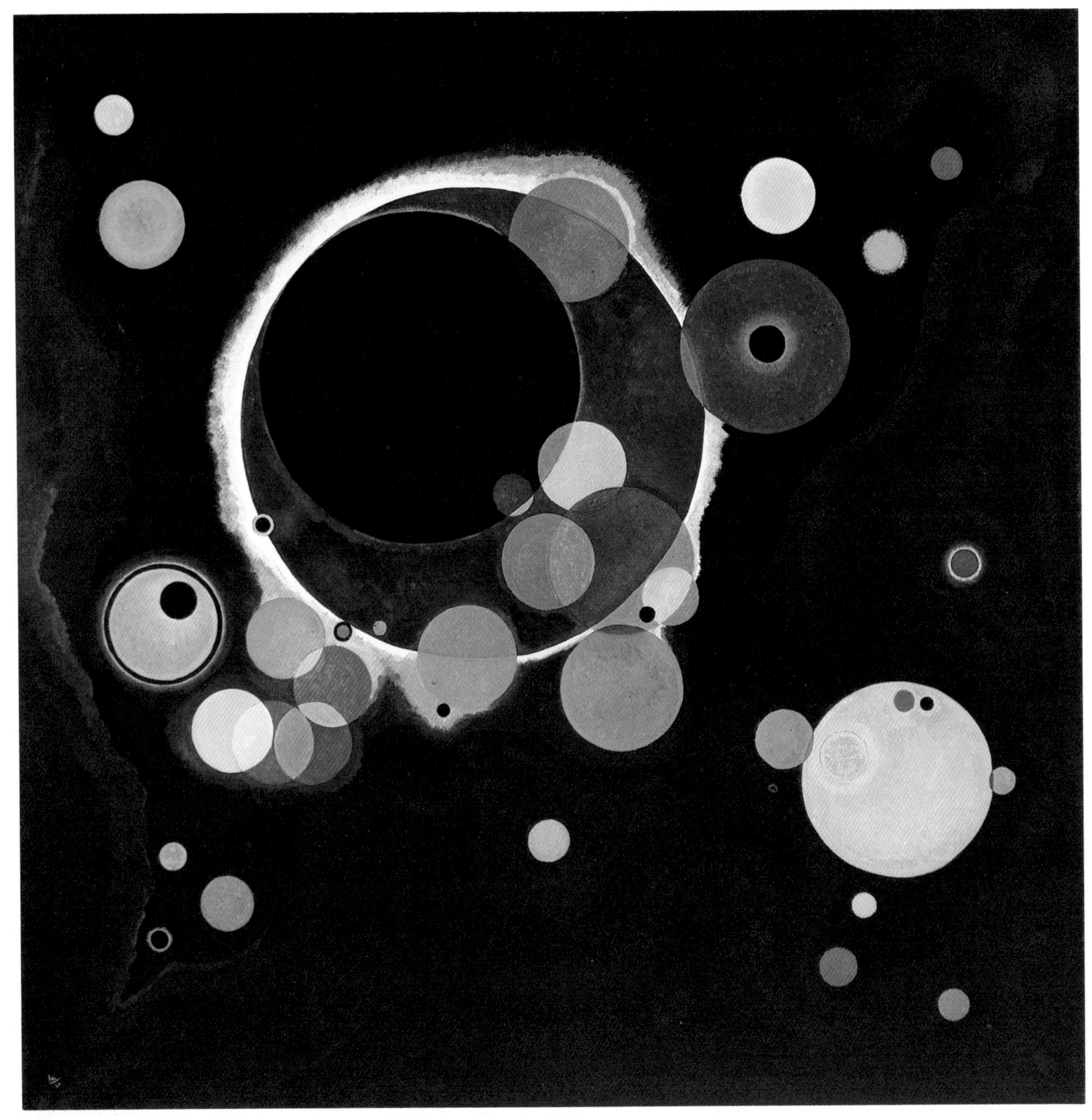

91

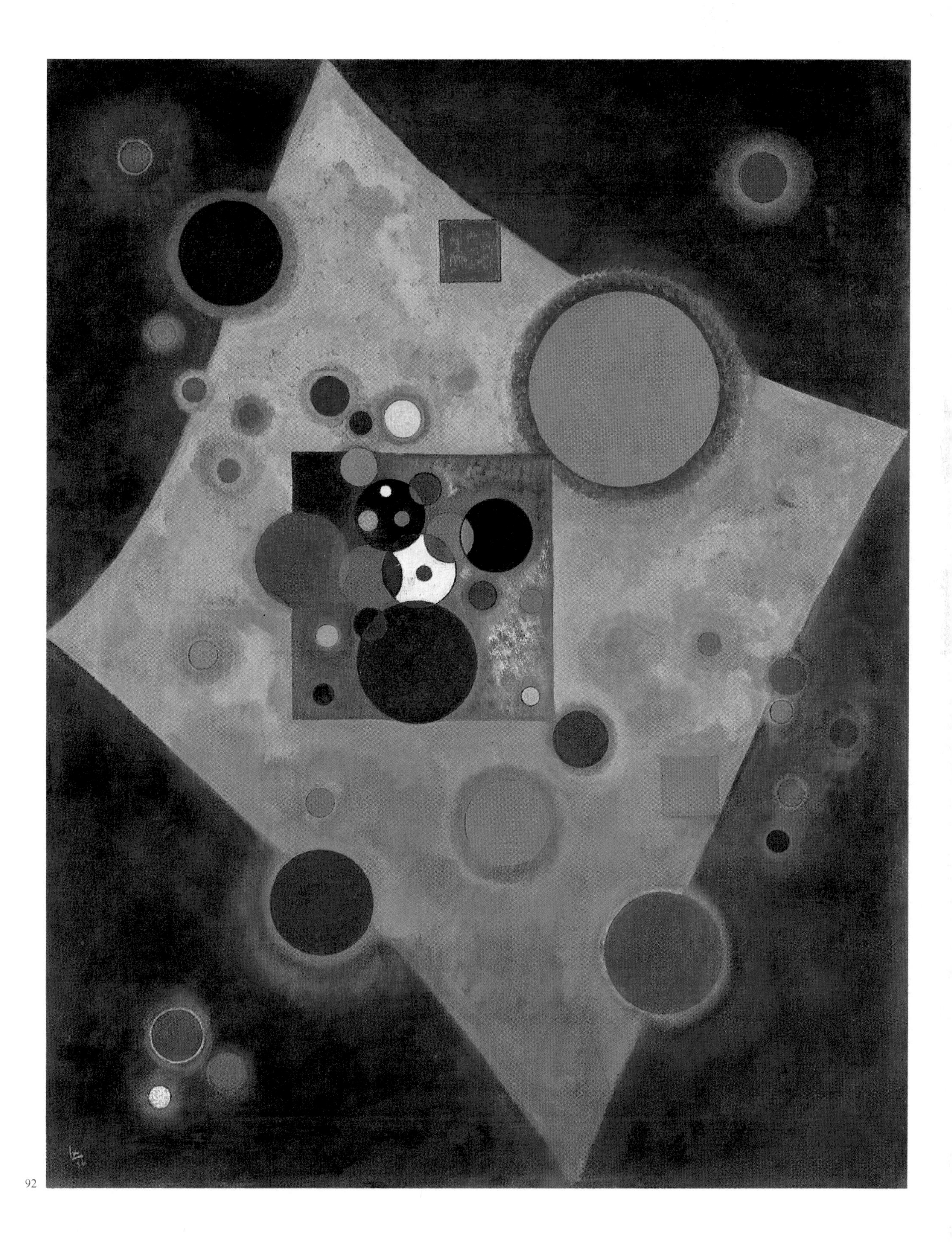

93. *Dur et mou.* 1927.
Huile sur toile, 100×50 cm.
The Museum of Fine Arts,
Boston.

94. *Événement doux.* 1928.
Huile sur carton, 38,6×67,8 cm.
Musée national d'art
moderne, Centre Georges
Pompidou, Paris.

95. *Sur les pointes.* 1928.
Huile sur toile, 140×140 cm.
Musée national d'art
moderne, Centre Georges
Pompidou, Paris.

94

95

96. *Tableau dans le tableau*. 1929.
Huile sur carton, 70×49 cm.
Collection particulière, USA.

97. *Léger*. 1930.
Huile sur carton, 69×48 cm.
Musée national d'art moderne,
Centre Georges Pompidou, Paris.

96

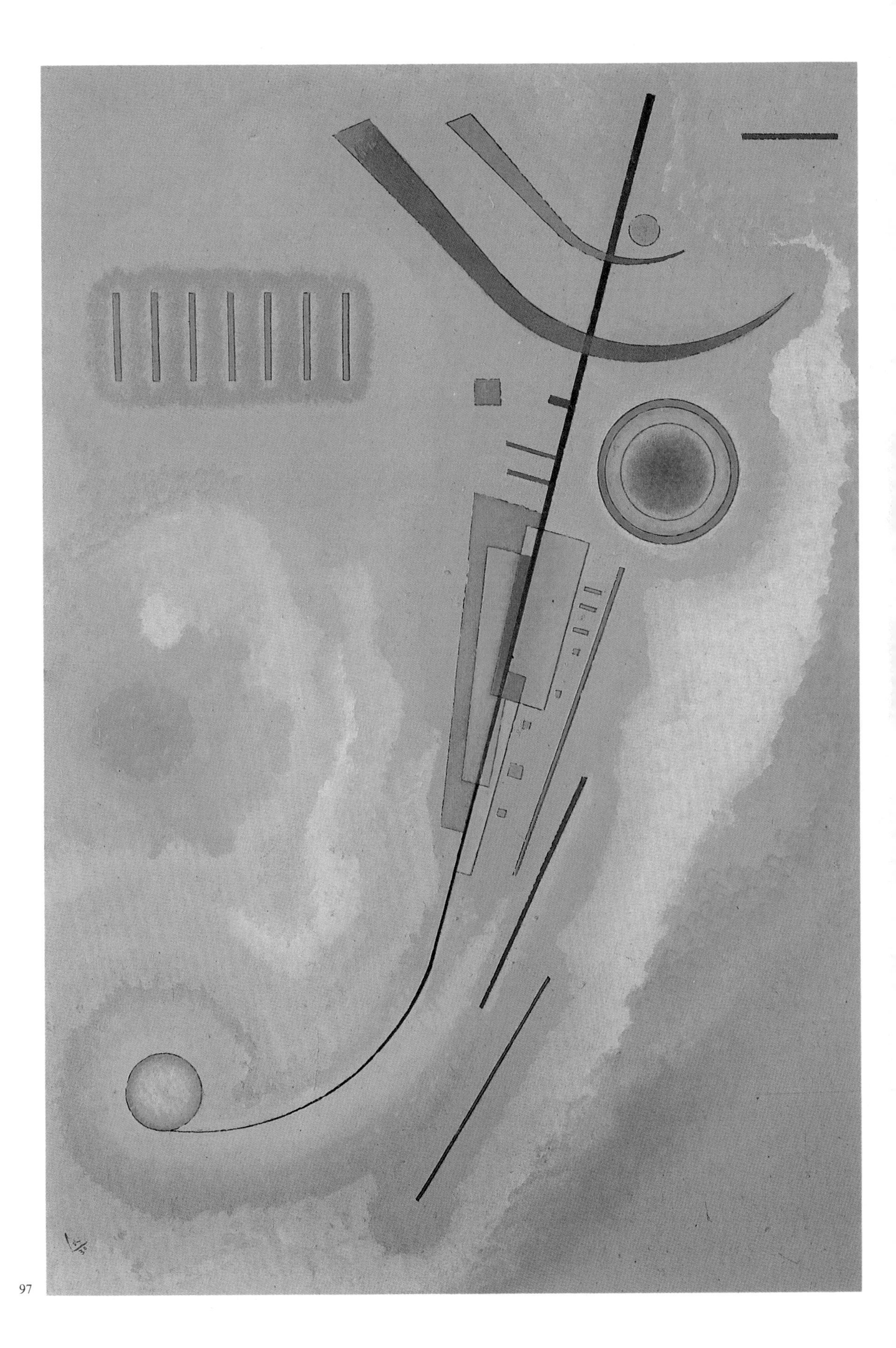

98. *Rond et pointu*. 1930.
Huile sur carton, 49 × 70 cm.
Kunsthalle, Mannheim.

99. *Flèche vers le cercle*. 1930.
Huile sur toile, 80 × 110 cm.
Davlyn Gallery, New York.

100. *Treize rectangles*. 1930.
Huile sur carton, 69,5 × 59,5 cm.
Musée national d'art moderne,
Centre Georges Pompidou, Paris.

98

99

101. *Inclination.* 1931.
Technique mixte sur carton, 70 × 70 cm.
The Solomon R. Guggenheim Museum, New York.

102. *Tension dure.* 1931.
Technique mixte sur carton, 70 × 70 cm.

101

103

104

103. *Dégagement ralenti.* 1931.
Tempera et huile sur carton, 59,8 × 69,5 cm.
Musée national d'art moderne,
Centre Georges Pompidou, Paris.

104. *Développement en brun.* 1933.
Huile sur toile, 105 × 120 cm.
Musée national d'art moderne,
Centre Georges Pompidou, Paris.

105. *Montée gracieuse.* 1934.
Huile sur toile, 80 × 80 cm.
The Solomon R. Guggenheim Museum, New York.

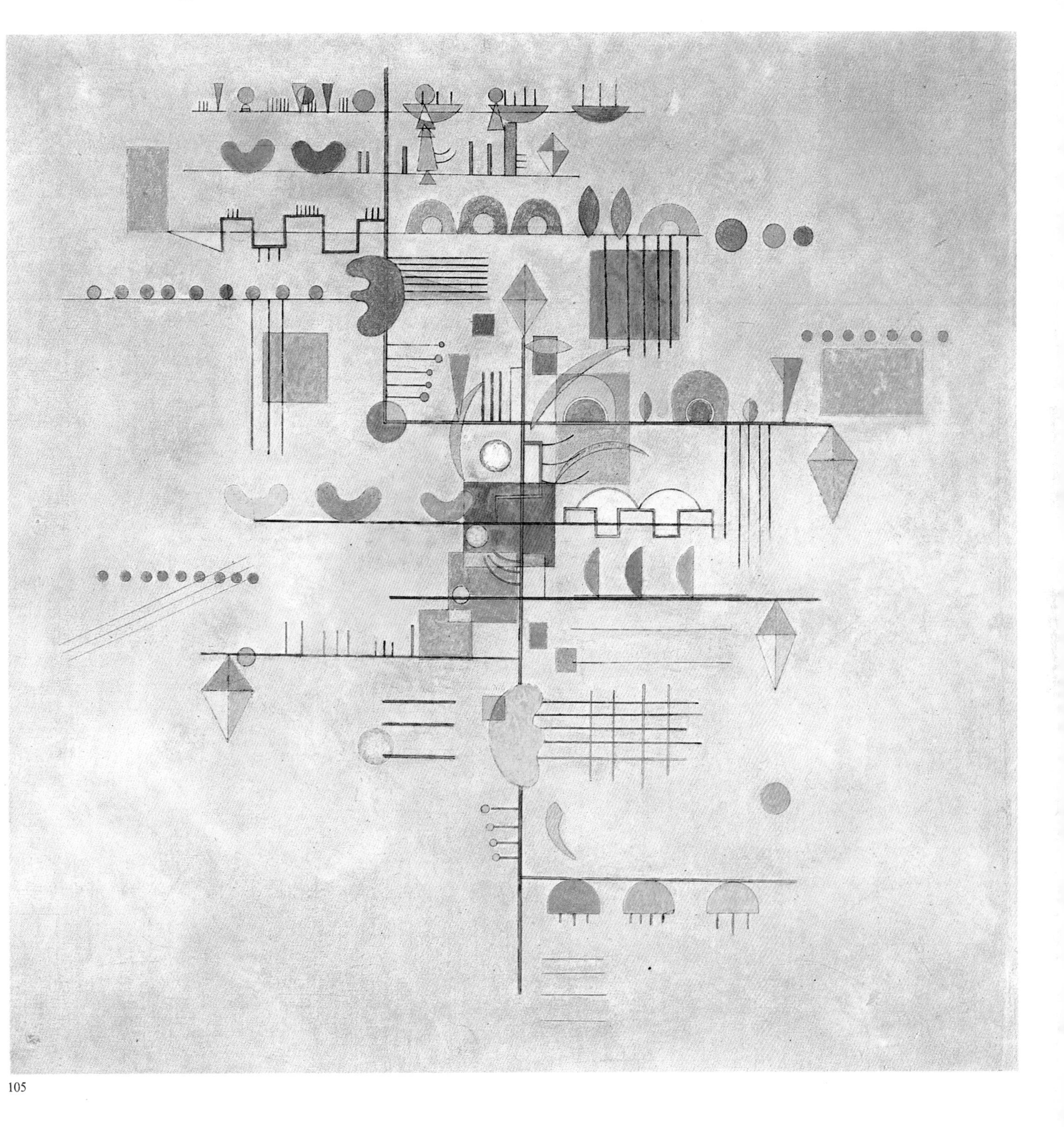

105

106. *Relations.* 1934.
Technique mixte sur toile, 89 × 116 cm.
Collection Mr. et Mrs. David Lloyd Kreeger, Washington, D.C.

107. *Violet-orange.* 1935.
Huile sur toile, 89 × 116 cm.
The Solomon R. Guggenheim Museum, New York.

106

107

108. *Poids monté.* 1935.
Technique mixte sur toile, 60 × 72,5 cm.
Galleria Internazionale, Milan.

109. *Contraste accompagné.* 1935.
Technique mixte sur toile, 97 × 162 cm.
The Solomon R. Guggenheim Museum, New York.

110. *Deux points verts.* 1935.
Huile et sable sur toile, 114 × 162 cm.
Musée national d'art moderne,
Centre Georges Pompidou, Paris.

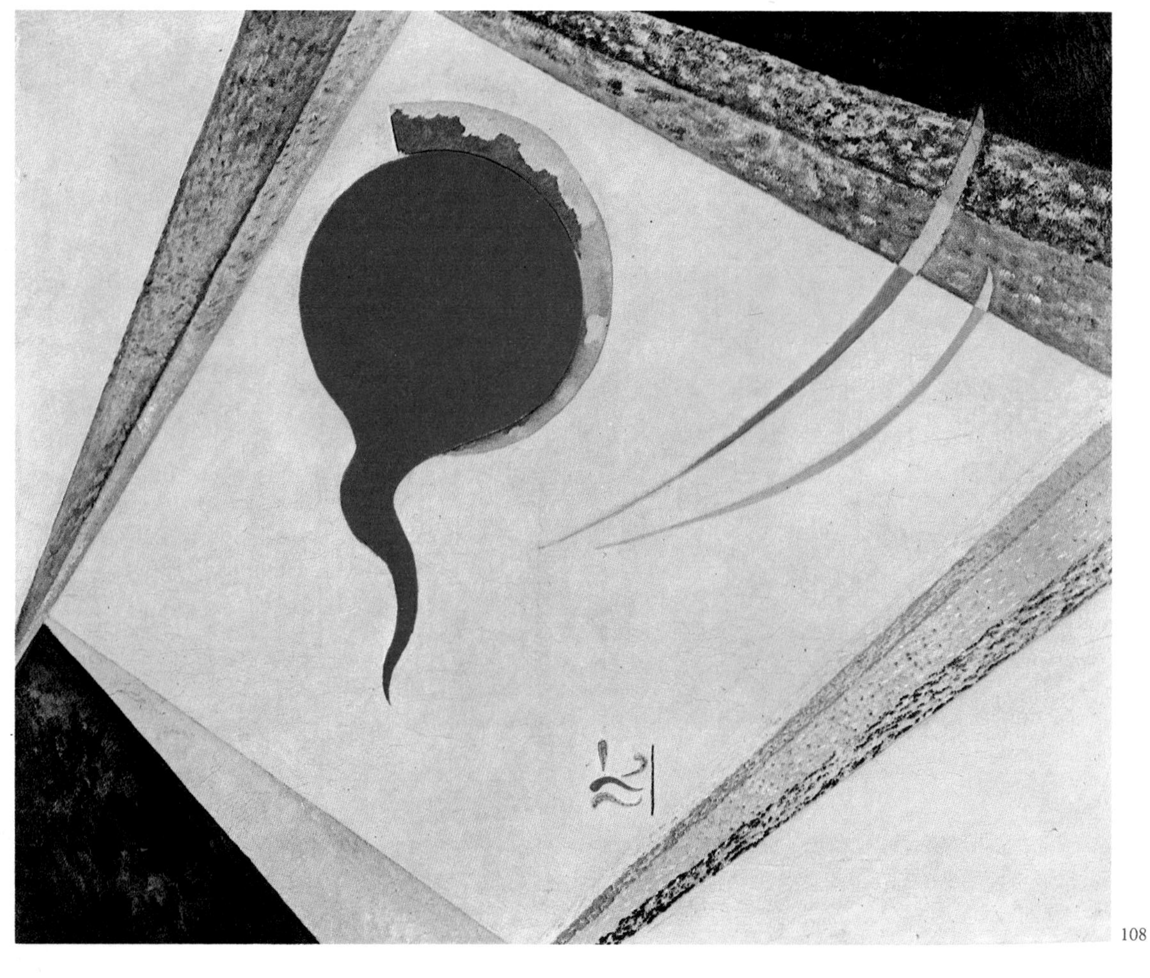

108

109

10

111. *Courbe dominante.* 1936.
Huile sur toile, 130 × 195 cm.
The Solomon R. Guggenheim Museum, New York.

112. *Composition IX.* 1936.
Huile sur toile, 113,5 × 195 cm.
Musée national d'art moderne,
Centre Georges Pompidou, Paris.

113. *La ligne blanche.* 1936.
Gouache et tempera sur papier noir, 49,9 × 38,7 cm.
Musée national d'art moderne,
Centre Georges Pompidou, Paris.

111

112

114. *Milieu accompagné.* 1937.
Huile sur toile, 114 × 146 cm.
Ancienne collection Adrien Maeght, Paris.

115. *La toile jaune.* 1938.
Technique mixte sur toile, 116 × 89 cm.
The Solomon R. Guggenheim Museum, New York.

114

116

117

116. *Unanimité.* 1939.
Huile sur toile, 73 × 92 cm.
Collection Jeffrey H. Loria, New York.

117. *Composition X.* 1939.
Huile sur toile, 130 × 195 cm.
Kunstsammlung Nordrhein-Westfalen, Düsseldorf.

118. *Bleu de ciel.* 1940.
Huile sur toile, 100 × 73 cm.
Musée national d'art moderne,
Centre Georges Pompidou, Paris.

118

119. *Autour du cercle.* 1940.
Technique mixte sur toile, 97×146 cm.
The Solomon R. Guggenheim Museum, New York.

120. *Actions cariées.* 1941.
Technique mixte sur toile, 89×116 cm.
The Solomon R. Guggenheim Museum, New York.

119

121. *Accord réciproque.* 1942.
Huile et ripolin sur toile, 114 × 146 cm.
Musée national d'art moderne,
Centre Georges Pompidou, Paris.

122. *Accent rouge.* 1943.
Huile sur carton, 42 × 58 cm.
The Solomon R. Guggenheim Museum, New York.

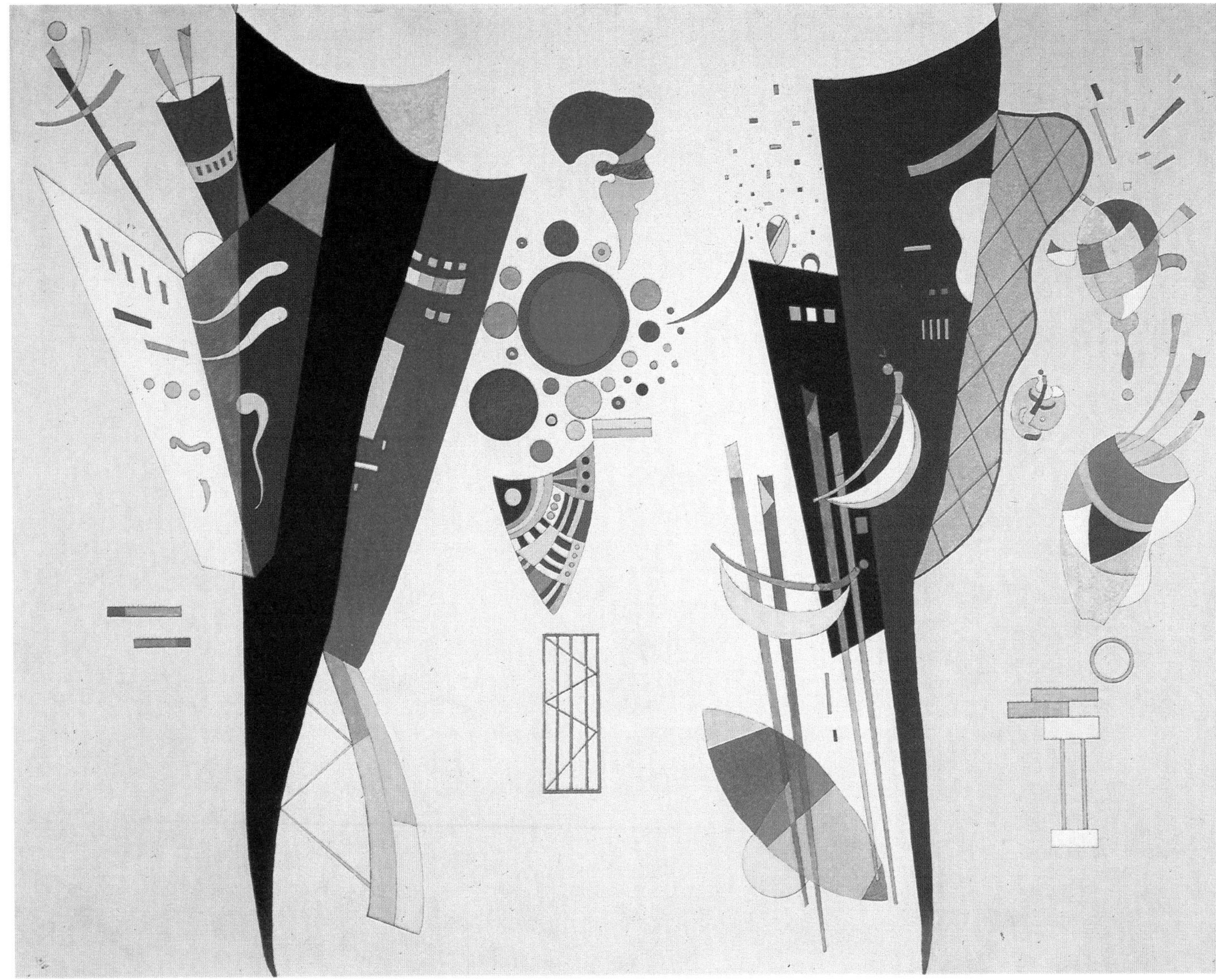

121

2

123. *Cercle et carré.* 1943.
Tempera et huile sur carton, 42 × 58 cm.
Musée national d'art moderne,
Centre Georges Pompidou, Paris.

124. *La flèche.* 1943.
Huile sur carton, 42 × 57 cm.
Kunstmuseum, Bâle.

125. *Le petit rond rouge.* 1944.
Gouache et huile sur carton, 42 × 58 cm.
Musée national d'art moderne,
Centre Georges Pompidou, Paris.

123

124

125

TABLE DES ILLUSTRATIONS

1. *Kochel. Cascade I.* 1900.
Huile sur carton entoilé, 32,4 × 23,5 cm.
Städtische Galerie, Munich.

2. Esquisse pour *Achtyrka. Automne.* 1901.
Huile sur carton entoilé, 23,7 × 32,7 cm.
Städtische Galerie, Munich.

3. *Munich. La Isar.* 1901.
Huile sur carton entoilé, 32,5 × 23,6 cm.
Städtische Galerie, Munich.

4. *Vieille ville II.* 1902.
Huile sur toile, 52 × 78,5 cm.
Musée national d'art moderne,
Centre Georges Pompidou, Paris.

5. *L'adieu.* 1903.
Gravure, 31,3 × 31,2 cm.
Musée national d'art moderne,
Centre Georges Pompidou, Paris.

6. *Amsterdam. Vue de la fenêtre.* 1904.
Huile sur carton, 24 × 33 cm.
The Solomon R. Guggenheim Museum,
New York.

7. *Rotterdam.* 1904.
Huile sur carton entoilé, 23 × 31,7 cm.
Musée national d'art moderne,
Centre Georges Pompidou, Paris.

8. *Le cavalier bleu.* 1903.
Huile sur toile, 55 × 65 cm.
Collection particulière, Zurich.

9. *Portrait de Gabriele Münter.* 1905.
Huile sur toile, 45 × 45 cm.
Städtische Galerie, Munich.

10. *Rapallo, mer orageuse.* 1906.
Huile sur carton entoilé, 23 × 33 cm.
Musée national d'art moderne,
Centre Georges Pompidou, Paris.

11. *Couple à cheval.* 1906-1907.
Huile sur toile, 55 × 50,5 cm.
Städtische Galerie, Munich.

12. *Chant de la Volga.* 1906.
Tempera sur carton, 49 × 66 cm.
Musée national d'art moderne,
Centre Georges Pompidou, Paris.

13. *Arbres en fleur à Lana I.* 1908.
Huile sur toile sur bois, 17,8 × 25,9 cm.
Collection particulière, New York.

14. *Murnau. Obermarkt et montagnes.* 1908.
Huile sur carton, 33 × 41 cm.
Collection particulière, Allemagne.

15. *Riegsee. L'église du village.* 1908.
Huile sur carton, 33 × 45 cm.
Von der Heydt Museum, Wuppertal.

16. *Paysage à la tour.* 1908.
Huile sur carton, 74 × 98,5 cm.
Musée national d'art moderne,
Centre Georges Pompidou, Paris.

17. *Munich. Schwabing avec l'église Sainte-Ursule.* 1908.
Huile sur carton, 68,8 × 49 cm.
Städtische Galerie, Munich.

18. *La montagne bleue.* 1908-1909.
Huile sur toile, 106 × 96,6 cm.
The Solomon R. Guggenheim Museum,
New York.

19. *Paysage d'hiver I.* 1909.
Huile sur carton, 71,5 × 97,5 cm.
Musée de l'Ermitage, Leningrad.

20. *Intérieur (ma salle à manger).* 1909.
Huile sur carton, 50 × 65 cm.
Städtische Galerie, Munich.

21. *Oriental.* 1909.
Huile sur carton, 69,5 × 96,5 cm.
Städtische Galerie, Munich.

22. *Montagne.* 1909.
Huile sur toile, 109 × 109 cm.
Städtische Galerie, Munich.

23. *Tableau avec archer.* 1909.
Huile sur toile, 177 × 147 cm.
The Museum of Modern Art, New York.

24. *Improvisation III.* 1909.
Huile sur toile, 94 × 130 cm.
Musée national d'art moderne,
Centre Georges Pompidou, Paris.

25. *Improvisation VI.* 1909.
Huile sur toile, 107 × 99,5 cm.
Städtische Galerie, Munich.

26. *Murnau. Vue avec voie ferrée et château.* 1909.
Huile sur carton, 36 × 49 cm.
Städtische Galerie, Munich.

27. Esquisse pour *Composition II.* 1910.
Huile sur toile, 97,5 × 131,2 cm.
The Solomon R. Guggenheim Museum,
New York.

28. *Improvisation VII.* 1910.
Huile sur toile, 131 × 97 cm.
Galerie Tretiakov, Moscou.

29. *Improvisation XI.* 1910.
Huile sur toile, 97,5 × 106,5 cm.
Musée Russe, Leningrad.

30. *Improvisation XIII.* 1910.
Huile sur toile, 120 × 140 cm.
Staatliche Kunsthalle, Karlsruhe.

31. *Improvisation XIV.* 1910.
Huile sur toile, 74 × 125,5 cm.
Musée national d'art moderne,
Centre Georges Pompidou, Paris.

32. *Promenade en barque.* 1910.
Huile sur toile, 98 × 105 cm.
Galerie Tretiakov, Moscou.

33. *Peinture sur verre avec soleil.* 1910.
Peinture à l'eau et encre de Chine sous verre, 30,6 × 40,3 cm.
Städtische Galerie, Munich.

34. *Murnau. Le jardin I.* 1910.
Huile sur toile, 66 × 82 cm.
Städtische Galerie, Munich.

35. Étude pour *Hiver II.* 1910-1911.
Huile sur carton, 33 × 44,7 cm.
Städtische Galerie, Munich.

36. *Improvisation XVIII (avec pierres tombales).* 1911.
Huile sur toile, 141 × 120 cm.
Städtische Galerie, Munich.

37. *Composition IV.* 1911.
Huile sur toile, 159,5 × 250,5 cm.
Kunstsammlung Nordrhein-Westfalen,
Düsseldorf.

38. *Improvisation XIX.* 1911.
Huile sur toile, 120 × 141,5 cm.
Städtische Galerie, Munich.

39. *La Toussaint I.* 1911.
Huile sur carton, 50 × 64,5 cm.
Städtische Galerie, Munich.

40. *La Toussaint I.* 1911.
Peinture à l'eau et encre de Chine sous verre, 34,5 × 40,5 cm.
Städtische Galerie, Munich.

41. *Impression V (Parc).* 1911.
Huile sur toile, 106 × 157,5 cm.
Musée national d'art moderne,
Centre Georges Pompidou, Paris.

42. *Arabes III (à la cruche).* 1911.
Huile sur toile, 106 × 158 cm.
State Picture Gallery of Armenia, Erivan,
U.R.S.S.

43. *St Georg II.* 1911.
Huile sur toile, 107 × 96 cm.
Musée Russe, Leningrad.

44. *Déluge I.* 1912.
Huile sur toile, 100 × 105 cm.
Kaiser Wilhelm Museum, Krefeld.

45. *Avec l'arc noir.* 1912.
Huile sur toile, 189 × 198 cm.
Musée national d'art moderne,
Centre Georges Pompidou, Paris.

46. *Improvisation XXVI (En ramant).* 1912.
Huile sur toile, 97 × 107,5 cm.
Städtische Galerie, Munich.

47. *Improvisation XXVIII (deuxième version).* 1912.
Huile sur toile, 113 × 158 cm.
The Solomon R. Guggenheim Museum,
New York.

48. *Automne II.* 1912.
Huile sur toile, 60 × 82 cm.
The Phillips Collection, Washington, D.C.

49. Esquisse pour *Déluge II.* 1912.
Huile sur toile, 95 × 107,5 cm.
Collection Harold Diamont, New York.

50. *Dame à Moscou.* 1912.
Huile sur toile, 108,8 × 108,8 cm.
Städtische Galerie, Munich.

51. *Paysage aux taches rouges I.* 1913.
Huile sur toile, 78 × 100 cm.
Museum Folkwang, Essen.

52. *Jugement dernier.* 1912.
Peinture à l'eau et encre de Chine sous verre, 33,6 × 45,3 cm.
Musée national d'art moderne,
Centre Georges Pompidou, Paris.

53. *Improvisation (Déluge).* 1913.
Huile sur toile, 95 × 150 cm.
Städtische Galerie, Munich.

54. *Improvisation XXXI (Bataille navale).* 1913.
Huile sur toile, 140 × 120 cm.
National Gallery of Art, Washington, D.C.

55. *Peinture à la forme blanche.* 1913.
Huile sur toile, 120,3 × 139,6 cm.
The Solomon R. Guggenheim Museum, New York.

56. *Improvisation XXXIII (Orient I).* 1913.
Huile sur toile, 88 × 100 cm.
Stedelijk Museum, Amsterdam.

57. *Peinture au bord blanc (Moscou).* 1913.
Huile sur toile, 140,3 × 200,3 cm.
The Solomon R. Guggenheim Museum, New York.

58. *Petites joies.* 1913.
Huile sur toile, 109,8 × 119,7 cm.
The Solomon R. Guggenheim Museum, New York.

59. *Improvisation rêveuse.* 1913.
Huile sur toile, 130 × 130 cm.
Staatsgalerie Moderner Kunst, Munich.

60. *Traits noirs I.* 1913.
Huile sur toile, 129,4 × 131,1 cm.
The Solomon R. Guggenheim Museum, New York.

61. *Composition VI.* 1913.
Huile sur toile, 195 × 300 cm.
Musée de l'Ermitage, Leningrad.

62. *Tableau à la tache rouge.* 1914.
Huile sur toile, 130 × 130 cm.
Musée national d'art moderne, Centre Georges Pompidou, Paris.

63. *Panneau pour Edwin R. Campbell, n° 1.* 1914.
Huile sur toile, 162,5 × 80 cm.
The Museum of Modern Art, New York.

64. *Panneau pour Edwin R. Campbell, n° 2.* 1914.
Huile sur toile, 162,4 × 122,3 cm.
The Museum of Modern Art, New York.

65. *Panneau pour Edwin R. Campbell, n° 3.* 1914.
Huile sur toile, 162,5 × 92,1 cm.
The Museum of Modern Art, New York.

66. *Improvisation Klamm.* 1914.
Huile sur toile, 110 × 110 cm.
Städtische Galerie, Munich.

67. *Improvisation sans titre IV.* 1914.
Huile sur toile, 124,5 × 73,5 cm.
Städtische Galerie, Munich.

68. *Tableau sur fond clair.* 1916.
Huile sur toile, 100 × 78 cm.
Musée national d'art moderne, Centre Georges Pompidou, Paris.

69. *Moscou II.* 1916.
Huile sur toile, 52 × 36 cm.
Collection Mr. et Mrs. Werner Krisp, Murnau.

70. *Moscou. Place Zubovsky III. c.* 1916.
Huile sur toile, 34 × 32 cm.

71. *Crépuscule.* 1917.
Huile sur toile, 92 × 70 cm.
Musée Russe, Leningrad.

72. *Achtyrka. L'écluse en automne.* 1917.
Huile sur panneau, 19,2 × 30,8 cm.
Musée Russe, Leningrad.

73. *Dames en crinoline. c.* 1918.
Peinture à l'eau et encre de Chine sous verre, 25,1 × 40,8 cm.
Galerie Tretiakov, Moscou.

74. *Dans le gris.* 1919.
Huile sur toile, 129 × 176 cm.
Musée national d'art moderne, Centre Georges Pompidou, Paris.

75. *Trait blanc.* 1920.
Huile sur toile, 98 × 80 cm.
Ludwig Museum, Cologne.

76. *Ovale rouge.* 1920.
Huile sur toile, 71,5 × 71,2 cm.
The Solomon R. Guggenheim Museum, New York.

77. *Segment bleu.* 1921.
Huile sur toile, 120 × 140 cm.
The Solomon R. Guggenheim Museum, New York.

78. *Centre blanc.* 1921.
Huile sur toile, 118,7 × 136,5 cm.
The Solomon R. Guggenheim Museum, New York.

79. *Maquette de panneau pour l'exposition de la Juryfreie.* 1922.
Gouache sur papier noir, 34,7 × 60 cm.
Musée national d'art moderne, Centre Georges Pompidou, Paris.

80. *Trame noire.* 1922.
Huile sur toile, 96 × 106 cm.
Musée national d'art moderne, Centre Georges Pompidou, Paris.

81. *Sur le blanc II.* 1923.
Huile sur toile, 105 × 98 cm.
Musée national d'art moderne, Centre Georges Pompidou, Paris.

82. *Composition VIII.* 1923.
Huile sur toile, 140 × 201 cm.
The Solomon R. Guggenheim Museum, New York.

83. *Pointe jaune.* 1924.
Huile sur toile, 47 × 65,5 cm.
Kunsthalle Bern, Berne.

84. *Accompagnement noir.* 1924.
Huile sur toile, 166 × 134 cm.
Collection particulière, Suisse.

85. *Tension calme.* 1924.
Huile sur carton, 78,5 × 54,5 cm.
Collection particulière, Paris.

86. *Regard sur le passé.* 1924.
Huile sur toile, 98 × 95 cm.
Kunstmuseum, Berne.

87. *Jaune - Rouge - Bleu.* 1925.
Huile sur toile, 128 × 201,5 cm.
Musée national d'art moderne, Centre Georges Pompidou, Paris.

88. *En bleu.* 1925.
Huile sur carton, 80 × 110 cm.
Kunstsammlung Nordrhein-Westfalen. Düsseldorf.

89. *Chuchoté.* 1925.
Huile sur carton, 29 × 27,5 cm.
Musée national d'art moderne, Centre Georges Pompidou, Paris.

90. *Tension en rouge.* 1926.
Huile sur carton, 66 × 53,7 cm
The Solomon R. Guggenheim Museum, New York.

91. *Quelques cercles.* 1926.
Huile sur toile, 140 × 140 cm.
The Solomon R. Guggenheim Museum, New York.

92. *Accent en rose.* 1926.
Huile sur toile, 100,5 × 80,5 cm.
Musée national d'art moderne, Centre Georges Pompidou, Paris.

93. *Dur et mou.* 1927.
Huile sur toile, 100 × 50 cm.
The Museum of Fine Arts, Boston.

94. *Événement doux.* 1928.
Huile sur carton, 38,6 × 67,8 cm.
Musée national d'art moderne, Centre Georges Pompidou, Paris.

95. *Sur les pointes.* 1928.
Huile sur toile, 140 × 140 cm.
Musée national d'art moderne, Centre Georges Pompidou, Paris.

96. *Tableau dans le tableau.* 1929.
Huile sur carton, 70 × 49 cm.
Collection particulière, USA.

97. *Léger.* 1930.
Huile sur carton, 69 × 48 cm.
Musée national d'art moderne, Centre Georges Pompidou, Paris.

98. *Rond et pointu.* 1930.
Huile sur carton, 49 × 70 cm.
Kunsthalle, Mannheim.

99. *Flèche vers le cercle.* 1930.
Huile sur toile, 80 × 110 cm.
Davlyn Gallery, New York.

100. *Treize rectangles.* 1930.
Huile sur carton, 69,5 × 59,5 cm.
Musée national d'art moderne, Centre Georges Pompidou, Paris.

101. *Inclination.* 1931.
Technique mixte sur carton, 70×70 cm.
The Solomon R. Guggenheim Museum,
New York.

102. *Tension dure.* 1931.
Technique mixte sur carton, 70×70 cm.

103. *Dégagement ralenti.* 1931.
Tempera et huile sur carton, 59,8×69,5 cm.
Musée national d'art moderne,
Centre Georges Pompidou, Paris.

104. *Développement en brun.* 1933.
Huile sur toile, 105×120 cm.
Musée national d'art moderne,
Centre Georges Pompidou, Paris.

105. *Montée gracieuse.* 1934.
Huile sur toile, 80×80 cm.
The Solomon R. Guggenheim Museum,
New York.

106. *Relations.* 1934.
Technique mixte sur toile, 89×116 cm.
Collection Mr. et Mrs. David Lloyd Kreeger,
Washington, D.C.

107. *Violet-orange.* 1935.
Huile sur toile, 89×116 cm.
The Solomon R. Guggenheim Museum,
New York.

108. *Poids monté.* 1935.
Technique mixte sur toile, 60×72,5 cm.
Galleria Internazionale, Milan.

109. *Contraste accompagné.* 1935.
Technique mixte sur toile, 97×162 cm.
The Solomon R. Guggenheim Museum,
New York.

110. *Deux points verts.* 1935.
Huile et sable sur toile, 114×162 cm.
Musée national d'art moderne,
Centre Georges Pompidou, Paris.

111. *Courbe dominante.* 1936.
Huile sur toile, 130×195 cm.
The Solomon R. Guggenheim Museum,
New York.

112. *Composition IX.* 1936.
Huile sur toile, 113,5×195 cm.
Musée national d'art moderne,
Centre Georges Pompidou, Paris.

113. *La ligne blanche.* 1936.
Gouache et tempera sur papier noir,
49,9×38,7 cm.
Musée national d'art moderne,
Centre Georges Pompidou, Paris.

114. *Milieu accompagné.* 1937.
Huile sur toile, 114×146 cm.
Ancienne collection Adrien Maeght, Paris.

115. *La toile jaune.* 1938.
Technique mixte sur toile, 116×89 cm.
The Solomon R. Guggenheim Museum,
New York.

116. *Unanimité.* 1939.
Huile sur toile, 73×92 cm.
Collection Jeffrey H. Loria, New York.

117. *Composition X.* 1939.
Huile sur toile, 130×195 cm.
Kunstsammlung Nordrhein-Westfalen,
Düsseldorf.

118. *Bleu de ciel.* 1940.
Huile sur toile, 100×73 cm.
Musée national d'art moderne,
Centre Georges Pompidou, Paris.

119. *Autour du cercle.* 1940.
Technique mixte sur toile, 97×146 cm.
The Solomon R. Guggenheim Museum,
New York.

120. *Actions cariées.* 1941.
Technique mixte sur toile, 89×116 cm.
The Solomon R. Guggenheim Museum,
New York.

121. *Accord réciproque.* 1942.
Huile et ripolin sur toile, 114×146 cm.
Musée national d'art moderne,
Centre Georges Pompidou, Paris.

122. *Accent rouge.* 1943.
Huile sur carton, 42×58 cm.
The Solomon R. Guggenheim Museum,
New York.

123. *Cercle et carré.* 1943.
Tempera et huile sur carton, 42×58 cm.
Musée national d'art moderne,
Centre Georges Pompidou, Paris.

124. *La flèche.* 1943.
Huile sur carton, 42×57 cm.
Kunstmuseum, Bâle.

125. *Le petit rond rouge.* 1944.
Gouache et huile sur carton, 42×58 cm.
Musée national d'art moderne,
Centre Georges Pompidou, Paris.